La cuisine
grecque
75 recettes
au fil des saisons

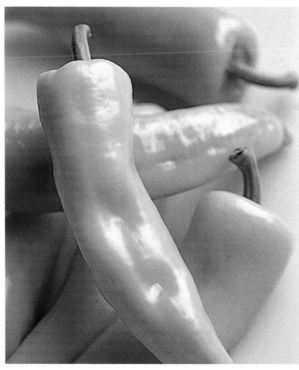

La cuisine grecque

75 recettes au fil des saisons

Rena Salaman

traduit de l'anglais par Ariel Marinie
photographies de Martin Brigdale

à Alexandra et Sophie

sommaire

introduction

L'essence de la cuisine grecque réside dans sa
simplicité – même s'ils sont parfois frugaux,
les plats sont toujours délicieux.

Ci-contre
Les Grecs raffolent des fruits de mer – moules et autres
coquillages – et des poissons comme le rouget grondin.
Les meilleurs poissons sont grillés, tandis que les coquillages,
le poulpe et les seiches servent à préparer de délicieux pilafs
et de substantiels ragoûts.

genre), c'est la cargaison de fruits et de légumes
qui provoque le plus de convoitise.

Les insulaires se réjouissent à l'avance à
l'idée de toutes ces courgettes brillantes *(zuc-chini)*, de ces splendides aubergines violettes,
de ces haricots et fèves de toutes sortes, de
l'okra, des grosses tomates sucrées et des longs
piments vert clair qui sont indispensables pour
cette spécialité du Pélion, le *spetzofai*.

Suivant la saison, Panagiotis apporte des
pêches blanches parfumées de la ville de Katerini,
d'énormes cerises violettes d'Edessa, au nord,
des nectarines juteuses, des melons de Crète et
beaucoup d'autres denrées délicieuses très
attendues des badauds alignés le long du quai.

Des liens ancestraux

L'obsession des produits frais et de bonne qualité n'est pas propre au régime grec moderne. La
tradition culinaire grecque remonte à l'Antiquité,

Lorsque j'étais petite, à Athènes, dans
les années 1950, nous guettions tous les matins
avec impatience la voiture à cheval du marchand
de quatre-saisons vantant ses marchandises
d'une voix forte et rauque, aussitôt entouré
d'un essaim de voisines. Aujourd'hui, quand je
retourne à Athènes pour rendre visite à ma
sœur, l'un de mes plus grands plaisirs après le
lèche-vitrines est d'aller au marché. Deux fois
par semaine, les cultivateurs y apportent leurs
produits frais, disposés en piles colorées tout le
long de la rue.

Dans les îles, souvent non fertiles, l'arrivée
des fruits et légumes frais est très attendue.
L'été, lors de mes séjours à Alonnisos, j'attends
avec autant d'impatience que les autres habitants l'arrivée de l'*Evangelistria,* le gros caïque
à large coque peint aux couleurs du drapeau
grec – bleu cobalt sur la coque avec une large
bande blanche au-dessus – qui approvisionne
l'île deux fois par semaine à partir du port de
Volos, sur le continent. Même si le chargement
inclut des matériaux de construction, des
meubles, de l'engrais, des plantes, des copies
de clés (Panagiotis, le séduisant capitaine de
l'*Evangelistria,* est un homme de confiance qui
se charge volontiers des commissions de ce

Ci-contre
Un bateau de pêche aux couleurs vives est amarré à côté
du café local, dans le minuscule port de l'une des nombreuses
îles de la mer Égée.

et les auteurs classiques décrivent un certain nombre de plats de légumes qui sont encore très populaires aujourd'hui. Ainsi, la *skorthalia* (sauce à l'ail très riche faite avec de l'huile d'olive et du pain), la *fava* (purée de pois cassés) et les *dolmathes* (feuilles de vigne fraîches farcies avec du riz et des herbes), par exemple, ont peu changé depuis l'époque des Grecs anciens.

Aristophane, dramaturge athénien qui vécut au IVe siècle avant J.-C., ironise dans ses pièces sur la popularité des légumes secs. Les fèves, les lentilles, les pois chiches et les petits pois étaient aussi appréciés à l'époque que de nos jours. Il semble que l'*etnos*, un plat vendu dans d'énormes chaudrons dans les rues d'Athènes, ait ressemblé à la *fava* moderne. Dans l'*Odyssée,* Homère décrit les festins auxquels Ulysse et ses hommes étaient conviés : des viandes cuites au barbecue avec des herbes – sans doute de l'origan et du thym – provenant des coteaux de l'île de Circé. Cependant, ces festins n'avaient lieu que dans les grandes occasions. Les Grecs anciens ne mangeaient de la viande que lorsqu'ils faisaient des sacrifices aux dieux ; la consommation de viande était ainsi liée aux pratiques religieuses, ce qui, dans une certaine mesure, est toujours le cas dans la Grèce moderne. Le calendrier de l'Église orthodoxe grecque comporte de nombreuses périodes de jeûne dont chacune se termine par un énorme festin où l'on mange de la viande – de préférence de l'agneau aux herbes sauvages rôti au tourne-broche –, comme dans l'*Odyssée*.

La moisson des mers

Bien sûr, les gens qui ont accès à la mer ont également accès aux fruits de mer, un autre sujet de prédilection des auteurs anciens. Athénée, dans son *Deipnosophistae (Banquet des sophistes)*, et le poète Archestrate, dans *Hedypatheia (La Gastronomie)*, s'attardent longuement sur les fruits de mer et indiquent où l'on peut trouver du poisson de première qualité et comment le faire cuire. Archestrate préférait faire bouillir, rôtir ou griller le poisson avec de l'huile d'olive et des condiments. Dans leur traduction de 1994 du

Banquet des sophistes, qu'ils tiennent pour « le plus vieux livre de recettes de cuisine d'Europe », John Wilkins et Shaun Hill écrivent : « Les sauces à base de fromage ou de *pickles* aux herbes sont ajoutées aux poissons de qualité inférieure, la préférence allant aux additions d'huile et d'herbes légères aux jus de poisson. » Ce qui n'est guère différent de la sauce à l'huile d'olive, au citron et à l'origan dont sont agrémentés aujourd'hui la plupart des plats de poisson grecs.

Outre les poissons de première qualité, cuisinés en grillades ou en soupes, les Grecs utilisent toutes sortes de poissons et de coquillages. Le poulpe et les petites seiches sont souvent frits et mangés comme *mezethes*. On en fait également des timbales, comme par exemple les poulpes aux épinards ou les seiches aux pommes de terre.

Ci-dessous
Ce marchand de légumes de l'île d'Astypalea transporte ses produits de village en village à dos de mule. À la main, il tient sa balance portable.

Un régime simple

La Grèce est un petit pays situé à l'est de la Méditerranée. La Grèce continentale occupe la partie méridionale de la péninsule des Balkans, et il y a une multitude d'îles dans la mer Égée et la mer Ionienne. Le régime frugal, composé d'ingrédients frais cuisinés avec simplicité, peut s'expliquer par différents facteurs, mais principalement par le terrain montagneux et le climat aride. L'histoire grecque y est aussi pour quelque chose, car elle est passablement agitée, culminant au XXe siècle avec l'occupation allemande de 1941 et la guerre civile qui a suivi.

En raison de l'interruption des échanges commerciaux consécutive aux conflits, et aussi des ressources naturelles limitées, les Grecs ont souvent dû faire appel à leur imagination pour transformer le peu qu'ils possédaient en plats variés et intéressants. Les recettes présentées dans cet ouvrage montrent à quel point ils y ont réussi. Même si le régime est frugal, il n'est nullement monotone, ainsi qu'en témoignent les légumes farcis et les feuilles de vigne, les délicieuses timbales, les *chiches-kebabs* de poisson et de viande grillés et les croustillantes tartes au filo.

Ci-dessus
Bien que les îles grecques, infertiles, ne se prêtent pas à l'agriculture, on y produit toutefois des fromages de brebis et de grosses olives vertes.

Ci-contre
Un *meze* très populaire : des tentacules et des anneaux de calmar frits.

La table grecque

En Grèce, les repas ne sont pas servis à heures fixes et ne comportent pas un nombre précis de plats. Les Grecs ne prennent pas vraiment de petit déjeuner, à part un café grec ou un thé au citron. Au milieu de la matinée, ils vont chercher chez le marchand du coin un *koulouri* au sésame ou une *tyropitta*, tarte au fromage chaude. Ici l'on déjeune tard, comme dans tous les pays méditerranéens, et le principal repas de la journée est le dîner, qui est également servi tard.

Lorsque les Grecs dînent au restaurant, ce qui est fréquent, ils arrivent rarement avant 22 heures. Les apéritifs comme l'*ouzo* peuvent être accompagnés de simples *mezethes* comme des olives et de la feta, ou de quelque chose de plus particulier comme les feuilles de câpres confites de l'île de Santorin. Le dîner consiste souvent en *mezethes* que tout le monde se partage ; s'il y a encore de la place sur la table et dans les estomacs, on peut également commander un ou deux plats principaux où chacun pioche à son gré. C'est là une manière de manger très conviviale, que nous pratiquons toujours dans notre restaurant préféré à Athènes, Vlassis, où les feuilles de chou farcies et la *fava* sont incomparables.

Même si les Grecs ne sont pas de gros buveurs, ils prennent toujours du vin avec leur repas. Aujourd'hui, le vin traditionnel, le *retsina,* est peu à peu remplacé par des vins non résineux, et l'on trouve d'excellents vins nouveaux sur le marché ; certains commencent à être exportés à l'étranger. Intéressez-vous aux vins des vignobles de Skouras, de Strofylia et de Hadzimichalis.

Le liquide doré

Il est un ingrédient dont la cuisine méditerranéenne ne saurait se passer : c'est l'huile d'olive, le glorieux liquide doré qui donne à la cuisine grecque sa saveur toute particulière. Il existe peu de plats qu'elle n'ennoblisse pas, depuis les sauces jusqu'aux desserts. L'huile d'olive donne vie aux légumes frais comme aux légumes secs. aux salades, aux plats de viande et de poisson. Elle fait partie de l'histoire sociale, politique et folklorique, et l'on ne saurait imaginer la vie sans elle.

L'huile d'olive grecque est généralement vert foncé et très fruitée. Elle est généralement douce avec des nuances sucrées, mais parfois elle développe un petit goût d'herbe, comme les huiles d'olive de Toscane. C'est l'une des moins

chères de Méditerranée et, paradoxalement, l'une des meilleures. Essayez l'Iliada, la Mani, en particulier la version bio, ou la Kolymbari crétoise.

Outre son goût, l'huile d'olive est excellente pour la santé. Quand j'étais petite, ma grand-mère nous répétait sans cesse que cette huile était bonne pour la peau, pour les dents, pour les os et pour les yeux ; pourtant, nous ne savions pas encore ce qui est désormais officiel, à savoir que l'huile d'olive contient peu d'acides gras saturés, qui font monter les taux de cholestérol dans le sang, et qu'elle est en revanche riche en acides gras poly-insaturés et mono-insaturés, qui font baisser les taux de mauvais cholestérol.

Cependant, je ne voudrais pas terminer cette introduction sur une note aussi sérieuse. Il ne faut pas oublier le caractère ludique de la cuisine grecque, avec ses longs repas pris sous les oliviers et sa convivialité unique.

Rena Salaman

Ci-dessus
En Grèce, on sert toujours du vin avec les repas.
On en met aussi parfois dans la cuisine.

Ci-contre
L'huile d'olive grecque a un goût merveilleusement fruité.

Le printemps

Des feuilles tendres tout juste ouvertes,
des légumes frais et de merveilleux
poissons et coquillages

On sent que le printemps est arrivé non seulement à cause des roses qui fleurissent sur les clôtures et du parfum enchanteur des orangers et des citronniers en fleur, mais aussi à cause des effluves qui s'échappent des cuisines. Finies les marmites qui mijotent longuement, les haricots secs, les pois chiches et les robustes fricassées. La cuisine se fait plus légère à mesure que la terre se réchauffe et que les jours rallongent. À la fin du mois de février, il y a de l'espoir dans l'air. Il existe un proverbe grec qui dit : *O Flevaris kian Flevisi kalokeri tha myrisi* (« Si mauvais que puisse être février, il apporte toujours le parfum de l'été »).

Les premiers arbres en fleur sont les amandiers, vers fin février ou début mars. À ce moment, le printemps n'est pas loin. Au marché et chez les marchands de quatre-saisons – baromètres assez fiables –, les premiers artichauts apparaissent en piles bien rangées ou au contraire étalés sur des tapis. On trouve aussi des ciboules brillantes et des bouquets d'aneth, indispensables pour les recettes printanières comme les artichauts aux pommes de terre. À mesure que la saison s'avance, les premières fèves tendres apparaissent, suivies, à la fin du mois d'avril, par les petits pois. On les fait cuire de différentes façons avec des artichauts au cours des semaines suivantes – ceux-ci font tellement partie de la tradition grecque que je crois sentir le printemps chaque fois que je fais cuire des artichauts, même au cœur de l'hiver.

C'est au printemps qu'a lieu le plus long jeûne de l'Église chrétienne, et notamment de l'Église orthodoxe grecque, le carême. Les pratiquants s'abstiennent de manger de la viande et des laitages, et la morue salée est au menu. Traditionnellement, on la sert le 25 mars, jour de l'Annonciation à la Vierge Marie. Après l'avoir mise à tremper, on la roule dans une pâte à frire et on la fait dorer à la poêle ; la morue salée est servie avec une *skorthalia*, sauce à l'ail très épicée. On peut aussi la faire cuire au four avec des pommes de terre et de l'ail, et elle est souvent servie de cette façon le vendredi pendant le carême.

La morue salée n'est pas le seul mets typique du carême. La viande est remplacée par toutes sortes de poissons et de fruits de mer comme le calmar, la seiche et le poulpe cuits avec du riz, des pâtes, des pommes de terre, des épinards ou des légumes verts sauvages. Le dimanche des Rameaux, le poisson est au menu dans tous les foyers, qu'il soit cuit au four, grillé ou en soupe.

Ci-dessus
La saveur parfumée de l'ail jeune trouve un usage idéal dans la cuisine grecque : on en enfonce de minuscules tranches dans l'agneau de printemps avant de le faire rôtir, ou on pique le poulet de gousses entières non épluchées pour le faire cuire au four.

Ci-contre
Les artichauts sont l'un des légumes les plus appréciés en Grèce. Lorsqu'ils sont très jeunes, on coupe les cœurs en tranches fines et on les utilise crus en salade ou cuits en timbales.

Les légumes verts sauvages utilisés pour les plats de poisson et de coquillages ont aussi d'autres usages. À la campagne, c'est la saison des tartes printanières. Même si l'on fait des tartes aux épinards ou aux poireaux et au fromage en hiver, c'est au printemps que l'on fabrique les meilleures. Elles sont parfumées aux légumes verts sauvages et aux herbes de montagne, comme par exemple les tendres feuilles de pavot, cueillies juste avant que la plante commence à fleurir.

Pâques est la plus grande fête du printemps, et l'apogée du calendrier orthodoxe grec. La semaine sainte est une période de jeûne très strict. Il est interdit de consommer des produits laitiers, de la viande et du poisson, et le soir on se rend à l'église. La longue liturgie mélodieuse du samedi soir se termine à minuit par le chant de l'hymne byzantin, chanté par des prêtres vêtus de robes dorées et coiffés de couronnes incrustées de joyaux. Chacun apporte un œuf dur peint en rouge écarlate, et l'on rompt le jeûne en cassant ces œufs contre ceux des parents et amis.

La fête culmine avec le déjeuner de Pâques, qui plonge ses racines dans un rituel païen. Dans les jardins, on fait rôtir à la broche agneaux et chevrettes. À cette époque de l'année, leur chair

tendre est délicieuse. On sert aussi des *kokoretsi*, saucisses faites avec les intestins, le foie, le mou, le cœur et la rate de l'agneau.

Les jours suivants, des plats tels que la fricassée d'agneau et de salade romaine apparaissent sur les tables. Parfumée à l'aneth et liée avec une sauce à l'œuf et au citron, la fricassée d'agneau et de salade romaine est absolument délicieuse, de même que l'agneau aux artichauts ou aux petits pois. Les petits gigots d'agneau sont rôtis avec des pommes de terre et de l'ail. Après le jeûne, tous les prétextes sont bons pour manger de l'agneau.

Mai apporte les premières feuilles de vigne tendres, et c'est à ce moment que l'on prépare l'un des meilleurs mets de la cuisine grecque, les *dolmathes*. C'est aussi la saison des herbes, comme le fenouil sauvage qui apparaît le long des routes, et il n'est pas surprenant que la meilleure version de ces feuilles de vigne farcies soit végétarienne, avec des quantités d'oignons, de ciboules et d'herbes. Dans l'île d'Alonnisos, on met également de jeunes feuilles d'oseille dans la farce, et les *dolmathes* alonnisiens sont les meilleurs que j'aie jamais goûtés.

À mesure que l'air se réchauffe, les premiers haricots et les premières aubergines apparaissent, annonçant la plus belle des saisons, l'été.

Beaucoup des ingrédients indispensables à la cuisine grecque sont disponibles toute l'année, mais certains ont un caractère nettement saisonnier. Leur arrivée est attendue avec impatience, non seulement parce qu'ils ponctuent les saisons, mais aussi parce qu'ils jouent un rôle essentiel dans des plats préparés depuis des siècles à certaines occasions. Les ingrédients de printemps sont peut-être les plus précieux de tous, car leur apparition sur les marchés et dans les jardins annonce le commencement d'un nouveau cycle du calendrier culinaire.

Petits pois et fèves fraîches

Les jeunes pois tiennent une place importante dans les plats de printemps. Ils servent à préparer des timbales et fricassées, et sont souvent mélangés avec des artichauts et de l'aneth frais ou encore avec de l'agneau et des petites courgettes. Il n'est pas rare de voir des familles entières en train d'écosser des petits pois ou des fèves sur le pas des portes. Ces belles fèves vert clair au goût délicieux sont à la base de certaines recettes.

L'ail

Ce bulbe aromatique est indispensable à la cuisine grecque, et, avec l'origan, le thym et l'aneth, il en est l'un des principaux ingrédients. On en met de grandes quantités dans les plats cuits, mais on l'utilise aussi cru dans les sauces comme la *skorthalia* ou dans les soupes d'hiver.

Les feuilles de vigne

En Grèce, beaucoup de maisons ont leur propre vigne, et les feuilles sont utilisées en cuisine. Les premières feuilles tendres sont cueillies en mai, et c'est à cette époque qu'elles apparaissent sur les marchés. Les feuilles que l'on utilise immédiatement doivent être rincées, puis blanchies à l'eau bouillante pendant quelques minutes. Si l'on préfère les conserver pendant un certain temps, il faut les enfermer par petits paquets dans un récipient hermétique et les mettre au congélateur. Avant de s'en servir, il faut les décongeler dans l'eau bouillante pendant 1 à 2 minutes et les égoutter.

Les feuilles de vigne servent surtout à la confection des *dolmathes*. On les enroule autour

Ci-dessus
On farcit les feuilles de vigne pour confectionner les *dolmathes*, tandis que l'ail sert à parfumer les plats.

Ci-contre
Les fèves fraîches sont très appréciées par les Grecs.

Page ci-contre
Quelques ingrédients de printemps, dans le sens des aiguilles d'une montre à partir du haut à gauche : feuilles de pissenlit, artichauts, ciboules, salade romaine et origan frais.

d'une farce à base de riz ou de viande, puis on les étale dans une casserole et on les fait cuire avec de l'huile d'olive et du jus de citron. Il est important de mettre beaucoup d'oignons finement hachés et d'herbes aromatiques fraîches avec le riz, ainsi que de grandes quantités d'huile d'olive vierge extra.

Les feuilles de vigne servent aussi à envelopper le poisson pour le faire cuire au four ou le griller. Elles lui donnent un délicieux goût citronné. Si vous n'en avez pas de fraîches, vous pouvez utiliser des feuilles de vigne conservées dans la saumure. Cependant, elles tendent à être un peu salées, aussi faut-il les rincer soigneusement avant usage.

Les artichauts

L'artichaut est une variété de chardon cultivée qui a été mise au point en Italie au XVe siècle. Sa culture s'est bientôt étendue à d'autres pays méditerranéens et il est très apprécié en Grèce. Son arrivée sur les marchés annonce le début du printemps.

Les jeunes artichauts se mangent crus. On coupe les cœurs en tranches fines pour les manger en salade ou on les fait cuire en timbales avec d'autres légumes ou de l'agneau de printemps.

• Une fois coupés, les artichauts se décolorent, aussi faut-il commencer par

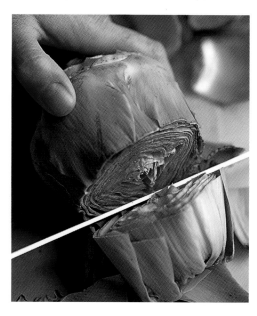

préparer un bol d'eau citronnée. Remplissez un bol d'eau froide et ajoutez-y un demi-citron pressé.

• Retirez et jetez les feuilles extérieures jusqu'à ce que les feuilles plus tendres apparaissent. Coupez la tête de l'artichaut à mi-hauteur en laissant le cœur entouré d'une petite collerette de feuilles tendres.

• Coupez l'artichaut en deux dans le sens de la longueur à l'aide d'un couteau pointu de façon à voir le foin entouré de petites feuilles violettes dures. Retirez le foin à l'aide d'une cuillère en acier inoxydable et jetez-le.

• Coupez la tige à 4 cm de la tête. Enlevez la partie extérieure ligneuse de ce qu'il reste de la tige et arrachez les petites feuilles de la base. Plongez l'artichaut dans le bol d'eau citronnée en attendant de le faire cuire.

Ci-contre
Sur les marchés grecs, la présence de jeunes artichauts, souvent cuits en timbales avec d'autres légumes, comme les petits pois, annonce l'arrivée du printemps.

Ci-contre

Le yoghourt grec est épais et crémeux, et les meilleurs ont un goût légèrement piquant, ni insipide ni trop aigre.

Ci-dessous

La morue salée, l'un des plats préférés des Grecs pendant le carême, est délicieuse cuite avec des pommes de terre, des tomates, des herbes et des olives.

Le yoghourt grec

Le vrai yoghourt grec est merveilleusement onctueux et est recouvert d'une croûte dentelée. Il a marqué mon enfance, et je me souviens du marchand ambulant qui sonnait à notre porte tous les soirs pour nous en proposer. Il en coupait une grosse tranche dans un récipient plat en terre cuite et la vendait au poids.

On trouve encore du yoghourt de ce genre à Volos, à Larissa, à Kalamata et à Thessalonique. C'est en Crète que j'ai goûté le meilleur yoghourt grec traditionnel : l'île vaut la peine d'être visitée rien que pour cela ! Les Grecs aiment mélanger du miel au thym avec leur yoghourt – l'une des recettes les plus simples du monde.

L'aneth

Les Grecs adorent l'aneth frais et en mettent souvent des bouquets entiers pour parfumer leurs fricassées et leurs timbales. Cette herbe est originaire des pays méditerranéens et pousse à l'état sauvage dans les montagnes. La cuisine grecque en fait grand usage depuis l'Antiquité, et son goût unique donne du caractère à tous les plats printaniers, en particulier aux *dolmathes* (feuilles de vigne farcies). Apparenté au persil, l'aneth ressemble au fenouil, mais en beaucoup plus petit. Il a une saveur anisée très fraîche qui rappelle un peu celle du cumin.

La morue salée

La morue salée est associée à la fin du carnaval et au début du carême, vers la fin du mois de février. On la sert pendant les 40 jours suivants, surtout le vendredi, cuisinée de différentes façons plus délicieuses les unes que les autres. On peut la faire cuire au four avec des pommes de terre et de l'aneth, en faire des croquettes ou la faire frire et la servir avec une *skorthalia* (sauce à l'ail). La morue salée doit être mise à tremper dans l'eau froide pendant au moins 24 heures avant d'être cuite. Il est important de changer l'eau souvent pour la dessaler.

Pour 6 personnes en snack

500 g de courgettes *(zucchini)*
12 cl d'huile d'olive vierge extra
1 gros oignon haché menu
2 ciboules hachées menu
1 gousse d'ail écrasée
3 tranches moyennes de bon pain
2 œufs légèrement battus
200 g de feta émiettée
50 g de *graveria* grec ou de parmesan italien
   râpé
3 à 4 cuil. à soupe d'aneth frais haché menu
   ou 1 cuil. à café d'origan séché
50 g de farine
sel et poivre noir moulu
6 quartiers de citron, pour servir

Croquettes de courgettes d'Alonnisos

kolokythokeftethes alonnisou

Je n'avais jamais mangé de kolokythokeftethes avant d'aller à Alonnisos. Ces croquettes permettent de transformer les courgettes, un légume au goût un peu insipide, en un plat très appétissant qui convainc tous ceux qui l'essaient. On peut les servir en *mezethes* ou comme repas léger, accompagnées d'une salade.

1 Portez une casserole d'eau légèrement salée à ébullition. Coupez les courgettes en tranches de 4 cm d'épaisseur et plongez-les dans l'eau bouillante. Couvrez et faites cuire 10 min. Égouttez dans une passoire et laissez refroidir.

2 Faites chauffer 4 cl d'huile d'olive dans une poêle à frire, mettez-y l'oignon et les ciboules et faites fondre. Ajoutez l'ail, puis dès que le parfum s'exhale, retirez la poêle du feu.

3 Écrasez les courgettes à la main pour en extraire le jus, puis versez-les dans un grand récipient. Ajoutez la mixture à base d'oignon, de ciboule et d'ail et mélangez.

4 Faites griller le pain, retirez la croûte, puis broyez-le dans un robot. Ajoutez-le au mélange à base de courgette, en même temps que les œufs battus, la feta et le *graviera* ou le parmesan râpé.

5 Incorporez l'aneth ou l'origan, salez et poivrez. Mélangez avec les mains. Si la mixture à base de courgette vous semble trop humide, ajoutez un peu de farine.

6 Prélevez 1 bonne cuillerée à soupe du mélange à base de courgettes, façonnez-en une boule ronde et écrasez-la légèrement pour lui donner une forme de croquette. Confectionnez ainsi plusieurs croquettes.

7 Farinez légèrement les croquettes et essuyez l'excédent de farine. Faites chauffer le reste de l'huile d'olive dans une grande poêle à frire antiadhésive et faites dorer les croquettes en les retournant une ou deux fois en cours de cuisson. Égouttez sur une double épaisseur d'essuie-tout. Servez les croquettes avec les quartiers de citron sur un plat préalablement chauffé.

Pour 4 personnes

1 kg de calmar
50 g de farine
8 cl d'huile d'olive ou d'huile de tournesol
   pour la friture
1 grosse pincée d'origan séché
sel et poivre noir moulu
1 citron coupé en quatre, pour servir

Calmar frit

kalamarakia tiganita

Il existe peu de mets aussi appétissants que le calmar frit, surtout lorsqu'on le déguste sous un olivier au bord d'une plage éclatante de blancheur. Et s'il a été pêché la veille, à proximité de la côte, comme à Alonnisos, alors c'est un véritable délice. Quand nous déjeunons au restaurant à Alonnisos, les plats défilent sur notre table. Le calmar sort tout droit de la poêle à frire, et ses tentacules sont dorées et croustillantes.

En Grèce, on farine généralement le calmar avant de le faire frire. C'est tout un art, car l'huile d'olive doit être juste à la bonne température pour que la chair du calmar soit bien tendre et humide.

Le calmar frit peut être servi en *meze* avec une salade ou peut accompagner une soupe ou une timbale de légumes.

1 Préparez les calmars conformément aux instructions figurant dans l'introduction au chapitre d'hiver, mais ne les ouvrez pas. Après les avoir vidés, rincez-les soigneusement à l'intérieur et à l'extérieur, puis égouttez-les. Coupez les corps en anneaux de 3 à 4 cm d'épaisseur.

2 Salez et poivrez la farine et versez-la dans un sac plastique. Mettez-y les calmars en séparant les anneaux et les tentacules, et secouez jusqu'à ce qu'ils soient bien farinés. Retirez tout excédent de farine.

3 Chauffez l'huile à feu moyen dans une grande poêle antiadhésive. Lorsque l'huile commence à grésiller, mettez-y les anneaux de calmar en les écartant les uns des autres.

4 Laissez cuire 2 à 3 min, puis retournez les anneaux à l'aide d'une fourchette. C'est un processus un peu laborieux mais qui en vaut la peine. Laissez cuire 1 ou 2 min de plus, puis retirez du feu à l'aide d'une écumoire et égouttez sur un plat garni d'essuie-tout.

5 Continuez à faire cuire le calmar en gardant les tentacules pour la fin – soyez prudent car elles crépitent. L'huile étant très chaude, les tentacules auront besoin de très peu de cuisson et doreront instantanément. Retournez-les au bout d'1 min et sortez-les de l'huile dès qu'elles sont bien croustillantes.

6 Servez le calmar frit sur un grand plat chaud et parsemez d'origan séché. Disposez des quartiers de citron autour des morceaux de calmar et proposez à vos invités de mettre un peu de jus de citron sur chaque portion.

DEMANDEZ À VOTRE POISSONNIER

Un bon poissonnier préparera les calmars à votre place si vous le prévenez à l'avance.

Pour 4 personnes

2 kg de poisson entier écaillé et nettoyé
1,5 l d'eau ou de bouillon de poisson
8 à 9 cl d'huile d'olive vierge extra
8 petites pommes de terre entières
    épluchées
8 petits oignons entiers épluchés
2 carottes épluchées et coupées
    en segments de 5 cm
1 à 2 bâtons de céleri avec les feuilles
2 courgettes *(zucchini)* coupées en quatre
    dans le sens de la longueur
1 citron pressé
sel et poivre noir moulu
huile d'olive vierge extra, 1 citron pressé et
    1 pincée d'origan séché, pour servir

Soupe de poisson

psarosoupa

En Grèce, la pêche est superbe. Si vous êtes sur les quais au moment où les bateaux de pêche rentrent, vous serez étonné par la quantité et la variété de poissons qu'ils rapportent.

    La soupe de poisson grecque est un repas à part entière. On sert d'abord le bouillon, puis on apporte le poisson et les légumes sur un plat. L'un des poissons les plus appréciés ici est la rascasse rouge, qui est également l'un des principaux ingrédients de la bouillabaisse provençale. Son énorme tête donne du goût au bouillon, et les arêtes ont une consistance glutineuse très utile pour réussir la soupe de poisson. On peut aussi utiliser du rouget grondin au délicat goût sucré.

1 Mélangez l'eau ou le bouillon et l'huile d'olive dans une grande casserole. Portez à ébullition et laissez bouillir à gros bouillons pendant 4 min. Mettez le poisson dans la casserole, salez et poivrez. Portez de nouveau à ébullition, mais lentement, et écumez la surface à l'aide d'une écumoire.

2 Incorporez les pommes de terre, les oignons, les carottes, les bâtons de céleri et les courgettes en ajoutant un peu d'eau chaude, si nécessaire, de façon à recouvrir.

3 Couvrez et laissez cuire à feu moyen jusqu'à ce que la chair des poissons se détache si vous la soulevez avec la pointe d'un couteau. Les gros poissons mettent 35 min à cuire, les petits un peu moins. Assurez-vous que la chair ne se désintègre pas.

4 Sortez le poisson de la casserole avec précaution et posez-le sur un plat chaud. Sortez les légumes du bouillon à l'aide d'une écumoire et disposez-les autour du poisson. Couvrez et gardez au chaud.

5 Versez le jus de citron dans la soupe. Servez-la en premier, puis apportez le plateau de poisson et de légumes. Mélangez l'huile d'olive, le jus de citron et l'origan en fouettant rapidement. C'est un excellent assaisonnement pour le poisson et les légumes.

CHOISISSEZ DEUX OU TROIS VARIÉTÉS DE POISSONS
Il est possible de préparer cette soupe avec une seule variété de poisson, mais vous obtiendrez de meilleurs résultats avec deux ou trois variétés différentes. Outre le rouget grondin, vous pouvez utiliser du mulet gris ou du bar de pêche.

Pour 4 personnes en entrée

4 artichauts
1 citron et 1/2 pressé
15 cl d'huile d'olive vierge extra
1 gros oignon émincé
3 carottes coupées en longs bâtons
400 g de petites pommes de terre nouvelles
   lavées ou épluchées
4 à 5 ciboules hachées
4 à 5 cuil. à soupe d'aneth frais haché
sel et poivre noir moulu

Artichauts aux pommes de terre nouvelles

anginares a la polita

Les artichauts comptent parmi les premiers légumes de printemps et apparaissent en Grèce au milieu du mois de mars, en même temps que les fèves et les bouquets d'aneth. On les fait cuire de diverses manières avec différents légumes de printemps, mais accompagnés de pommes de terre nouvelles ils sont un des meilleurs plats que je connaisse.

1 Préparez les artichauts en vous reportant aux instructions figurant dans l'introduction à ce chapitre. Plongez-les dans une jatte remplie d'eau avec 1/3 du jus de citron.

2 Faites chauffer l'huile d'olive dans une grosse casserole et faites fondre les tranches d'oignon. Ajoutez les carottes et faites sauter le tout 2 à 3 min. Versez le reste du jus de citron et 30 cl d'eau chaude. Portez à ébullition.

3 Égouttez les artichauts et placez-les dans la casserole avec les pommes de terre, les ciboules, le sel et le poivre. Les légumes doivent être juste recouverts d'eau chaude. Couvrez et faites cuire à feu doux 40 à 45 min. Parsemez d'aneth et laissez cuire encore 2 ou 3 min. Transférez dans un plat de service et servez chaud.

Pour 4 personnes

4 artichauts
1 citron et 1/2 pressé
15 cl d'huile d'olive vierge extra
1 oignon émincé
4 à 5 ciboules hachées
2 carottes coupées en rondelles
1,2 kg de petits pois frais (600 à 700 g
  une fois écossés)
4 cuil. à soupe d'aneth frais haché
sel et poivre noir moulu

Artichauts braisés aux petits pois frais

araka me anginares

Ce plat d'artichauts est unique. Écosser les petits pois prend du temps, mais frais ils ont une saveur incomparable. Asseyez-vous sur une marche, au soleil, et ce qui vous faisait l'effet d'une corvée deviendra un vrai plaisir.

1 Préparez les artichauts en vous reportant aux instructions contenues dans l'introduction à ce chapitre. Plongez-les dans une jatte d'eau acidulée avec un tiers du jus de citron.

2 Faites chauffer l'huile d'olive dans une casserole peu profonde et très large. Mettez l'oignon et les ciboules à fondre 1 min et incorporez les carottes. Faites revenir le tout en remuant constamment pendant quelques secondes, puis versez les petits pois et remuez pendant 1 à 2 min.

3 Versez le reste du jus de citron. Laissez évaporer pendant quelques secondes, puis ajoutez 45 cl d'eau chaude et portez à ébullition. Égouttez les artichauts et mettez-les dans la casserole, salez et poivrez. Couvrez et laissez cuire à feu doux pendant 40 à 45 min en remuant de temps en temps. Ajoutez l'aneth et faites cuire encore 5 min. Servez chaud ou à température ambiante.

Pour 4 personnes

500 g de petites pommes de terre nouvelles
5 ciboules hachées menu
1 cuil. à soupe de câpres en bocal, rincées
8 à 10 olives noires
125 g de feta coupée en dés
3 cuil. à soupe de persil plat frais haché
    menu
2 cuil. à soupe de menthe fraîche hachée
    menu
sel et poivre noir moulu

Pour la vinaigrette
10 à 12 cl d'huile d'olive vierge extra
1 citron pressé
2 anchois salés ou en conserve, rincés
    et hachés menu
3 cuil. à soupe de yoghourt à la grecque
3 cuil. à soupe d'aneth frais haché menu
1 cuil. à café de moutarde de Dijon

Salade de pommes de terre à la feta

patates salata me feta

Une salade de pommes de terre peut paraître banale, mais, grâce aux herbes aromatiques et aux différentes saveurs qu'elle réunit, la recette que nous proposons ici est subtile. Facile à préparer, elle fera un déjeuner ou un dîner idéal pour une journée chargée. Servez-la seule ou comme deuxième plat après une entrée légère.

En Grèce, les pommes de terre sont très douces et ont beaucoup de goût. Prenez une variété ferme et savoureuse comme la charlotte ; elle fera toute la différence.

1 Portez une casserole d'eau légèrement salée à ébullition et faites cuire les pommes de terre sans les éplucher pendant 25 à 30 min. Égouttez-les soigneusement et laissez-les refroidir.

2 Épluchez-les et mettez-les dans une jatte. Si elles sont très petites, laissez-les entières ; sinon, coupez-les en gros dés. Ajoutez les ciboules, les câpres, les olives, la feta et les herbes aromatiques. Mélangez bien.

3 Pour préparer la vinaigrette, mettez de l'huile dans un bol avec le jus de citron et les anchois.

4 Fouettez jusqu'à ce que l'assaisonnement épaississe. Incorporez le yoghourt, l'aneth et la moutarde sans cesser de fouetter. Salez et poivrez.

5 Versez la vinaigrette sur la salade pendant que les pommes de terre sont encore chaudes. Remuez bien.

LAISSEZ LES SAVEURS SE DÉVELOPPER
La salade de pommes de terre est encore meilleure si on la laisse reposer 1 h à température ambiante afin de lui permettre d'absorber les diverses saveurs. Les restes seront délicieux le lendemain, mais sortez-les du réfrigérateur une heure avant de les servir, afin de préserver leur goût.

Pour 4 personnes en plat principal
Pour 6 personnes en entrée

50 feuilles de vignes fraîches ou 225 g
    de feuilles de vigne en conserve
175 g de riz à grains longs
350 g d'oignons coupés en très petits dés
4 à 5 ciboules hachées menu
2 cuil. à soupe de pignes grillées
4 cuil. à soupe d'aneth frais haché menu
3 cuil. à soupe de menthe fraîche hachée
    menu
2 cuil. à soupe de persil plat frais haché
    menu
15 cl d'huile d'olive vierge extra
1 citron pressé
sel et poivre noir moulu
4 à 6 quartiers de citron, pour servir

Feuilles de vigne farcies au riz et aux herbes de printemps

dolmathes

Délicieuses, les feuilles de vigne peuvent être confectionnées avec différentes farces qui incluent parfois de la viande. Ma version préférée est celle du carême, qui est particulièrement réussie lorsqu'elle est faite avec les premières feuilles de vigne de l'année, très tendres, cueillies directement dans les vignobles ou achetées dans les *laiki*, les marchés en plein air. Si vous ne trouvez pas de feuilles de vigne fraîches, vous pouvez vous en procurer en conserve chez les marchands de produits grecs ou dans certains supermarchés.

1 Si vous utilisez des feuilles de vigne fraîches, blanchissez-les quelques secondes dans une casserole d'eau bouillante, puis sortez-les à l'aide d'une écumoire et égouttez-les dans une passoire. Ne les laissez surtout pas cuire. Les feuilles en conserve sont parfois très salées : rincez-les puis plongez-les dans une jatte d'eau très chaude. Laissez-les tremper 4 à 5 min, puis égouttez-les, rincez-les et égouttez-les à nouveau.

2 Versez le riz dans une jatte et ajoutez les oignons, les ciboules, les pignes, l'aneth, la menthe et le persil. Mélangez, puis incorporez la moitié de l'huile d'olive et du jus de citron. Salez, poivrez et mélangez bien cette farce.

3 Garnissez le fond d'une grande casserole avec 2 ou 3 feuilles de vigne. Étalez une autre feuille de vigne sur une planche avec le côté veiné sur le dessus, et placez-y 1 bonne cuillerée à café de farce, près de la tige. Repliez les deux côtés de la feuille par-dessus la farce et enroulez à partir de la tige. Confectionnez d'autres dolmathes en procédant de la même façon et disposez-les en rond au fond de la casserole.

4 Mélangez le reste de l'huile d'olive et du jus de citron et versez le mélange sur les dolmathes. Posez une petite assiette renversée par-dessus pour les empêcher de se dérouler. Ajoutez 45 cl d'eau chaude, couvrez hermétiquement et laissez mijoter 1 h. Servez chaud ou à température ambiante. Les dolmathes font beaucoup d'effet disposés sur un plateau garni de feuilles de vigne fraîches et entourés de quartiers de citron.

HACHEZ BIEN LES INGRÉDIENTS
Ne soyez pas tenté de râper les oignons, car ils deviendraient trop humides. Vous pouvez les couper en tout petits morceaux à la main et les hacher dans un robot.

Pour 4 personnes en plat principal
Pour 6 personnes en entrée

1 kg de seiches fraîches
15 cl d'huile d'olive vierge extra
1 gros oignon de 225 g haché
1 verre de vin blanc (environ 17 cl)
500 g de pommes de terre épluchées
    et coupées en dés
4 à 5 ciboules hachées
1 citron pressé
4 cuil. à soupe d'aneth frais haché
sel et poivre noir moulu

Seiches aux pommes de terre
soupies me patates

La seiche est plus douce et plus tendre que le calmar, à condition d'acheter des spécimens de petite taille ou de taille moyenne. Si vous ne trouvez que de grosses seiches, faites-les cuire plus longtemps. Ce plat est souvent servi pendant le carême.

1 Préparez les seiches de la même façon que les calmars, en vous reportant aux instructions du chapitre d'hiver. Rincez-les et égouttez-les bien, puis coupez-les en rubans de 2 cm de large.

2 Faites chauffer l'huile dans une casserole à fond épais, ajoutez l'oignon et faites fondre pendant 5 min. Ajoutez les seiches et faites revenir environ 10 à 15 min, jusqu'à ce que tout le jus soit évaporé.

3 Versez le vin blanc, puis, une fois qu'il est évaporé, versez 30 cl d'eau. Couvrez et laissez cuire 10 min, puis ajoutez les pommes de terre, les ciboules et le jus de citron. Salez et poivrez. Les ingrédients doivent être recouverts d'eau, ajoutez-en au besoin. Couvrez et laissez cuire à feu doux 40 min en remuant de temps en temps. Ajoutez l'aneth et laissez cuire 5 min. Servez chaud.

Pour 4 personnes

1 oignon coupé en tranches
50 g de beurre
6 cl d'huile d'olive vierge extra
2 gros poireaux (poids total de 450 g)
  hachés
115 g de farine
1/2 cuil. à café de bicarbonate de soude
3 gros œufs légèrement battus
200 g de yoghourt à la grecque
300 g de feta coupée en dés
125 g de gruyère ou de parmesan râpé
3 à 4 cuil. à soupe d'aneth frais haché
sel et poivre noir moulu

Tarte d'Électre, au fromage et aux poireaux
electra's tyropitta

Chaque fois que notre amie Électre nous invitait à boire un verre à Alonnisos, elle nous servait ce mets délicieux. Cette tarte diffère un peu des recettes grecques classiques, car elle n'est pas entourée de pâte. Servez la tyropitta avec des *mezethes* ou, pour le déjeuner, accompagnée d'une salade verte.

1 Faites fondre l'oignon dans le beurre et l'huile. Ajoutez les poireaux et faites cuire à feu doux pendant 10 à 12 min. Laissez refroidir un peu.

2 Préchauffez le four à 180 °C (th. 6). Graissez légèrement un moule à gâteau rond de 23 cm de diamètre. Versez la farine et le bicarbonate de soude dans une jatte. Incorporez les œufs, le yoghourt et la feta, puis le mélange à base de poireaux et d'oignon. Réservez 2 cuillerées à soupe de parmesan ou de gruyère râpé et ajoutez le reste à la pâte, avec l'aneth. Mélangez bien et assaisonnez.

3 Versez le mélange dans le moule et égalisez le dessus. Parsemez de fromage et faites cuire au four 40 à 45 min. Laissez la tarte refroidir avant de la démouler. Coupez en tranches et servez avec un filet d'huile d'olive. Garnissez de quartiers de citron, d'olives noires et de radis.

Pour 4 personnes en plat principal
Pour 6 personnes en entrée

700 g de morue salée
800 g de pommes de terre épluchées
    et coupées en morceaux
1 gros oignon haché menu
2 à 3 gousses d'ail hachées
1 brin de romarin frais
2 cuil. à soupe de persil plat frais haché
12 cl d'huile d'olive vierge extra
400 g de tomates hachées
1 cuil. à soupe de purée de tomates
1 cuil. à café d'origan séché
12 olives noires
poivre noir moulu
herbes fraîches, pour garnir

Morue salée aux pommes de terre, aux tomates et aux olives

bakaliaros plaki sto fourno

La morue salée est depuis longtemps un aliment de base en Grèce, l'hiver. Elle est également très appréciée au printemps, et le plat présenté ici figure souvent au menu des restaurants le vendredi pendant le carême. Il est facile de se procurer de la morue salée sur les marchés d'Athènes.

Même si cette recette est devenue un classique, elle garde quelque chose d'exotique, et si vous achetez du poisson de bonne qualité, le résultat sera très savoureux.

Accompagnée d'épaisses tranches de pain bien frais, la morue salée aux pommes de terre, aux tomates et aux olives peut être servie comme plat de résistance ou en entrée. On peut également la servir froide, avec d'autres *mezethes.*

1 Faites tremper la morue dans de l'eau froide toute une nuit en changeant l'eau le plus souvent possible le soir et le matin. Il n'est pas nécessaire d'ôter la peau pour préparer ce plat, mais ayez soin de retirer les arêtes.

2 Préchauffez le four à 180 °C (th. 6). Mélangez les pommes de terre, l'oignon, l'ail, le romarin et le persil dans un grand plat à rôtir. Poivrez généreusement. Ajoutez l'huile d'olive et mélangez bien.

3 Égouttez la morue et coupez-la en bouchées. Disposez les morceaux entre les légumes et répartissez les tomates par-dessus. Diluez la purée de tomates dans 30 cl d'eau chaude, puis versez le mélange dans le plat. Parsemez d'origan. Cuisez au four pendant 1 h en arrosant de temps en temps le poisson et les pommes de terre avec le jus du plat.

4 Après 1 h de cuisson, sortez le plat du four, parsemez d'olives, puis faites cuire à nouveau 30 min en ajoutant un peu d'eau chaude si nécessaire. Garnissez d'herbes fraîches. Servez chaud ou froid.

OÙ TROUVER DE LA MORUE SALÉE

Vous pouvez trouver de la morue salée dans les magasins de produits italiens, espagnols, portugais ou grecs. Elle est souvent vendue en petits carrés, prêts à tremper. Si vous achetez une morue entière, coupez-la en carrés de 7 cm après l'avoir fait tremper.

Pour 4 personnes

1 lapin découpé
1 verre de vin rouge (environ 17 cl)
6 cl de vinaigre de vin rouge
2 feuilles de laurier écrasées
3 cuil. à soupe de farine
10 cl d'huile d'olive vierge extra
2 carottes coupées en bâtons épais
   de 10 cm de long
2 bâtons de céleri coupés en tranches
3 gousses d'ail coupées en deux dans
   le sens de la longueur
1 bâton de cannelle
3 à 4 grains de poivre de la Jamaïque entiers
1 à 2 brins de romarin frais
1 cuil. à soupe de purée de tomates
700 g de petits oignons épluchés
1 cuil. à soupe de cassonade
sel et poivre noir moulu
brins de romarin frais, pour garnir

Fricassée de lapin aux petits oignons
kouneli stifatho

Cette recette permet de transformer la chair du lapin, un peu fade, en un plat délicieux. Les différentes saveurs se mélangent avec les épices pour imprégner la viande. Servez le stifatho avec une salade verte, qui introduira une note de fraîcheur dans ce plat riche.

1 Mélangez le vin et le vinaigre dans un plat peu profond et assez grand pour contenir tous les morceaux de lapin en une seule couche. Ajoutez les feuilles de laurier et le lapin en les retournant dans le liquide. Laissez mariner 4 à 6 h, de préférence la nuit, en retournant les morceaux au moins une fois.

2 Sortez les morceaux de lapin de la marinade et séchez-les avec de l'essuie-tout. Réservez la marinade. Farinez légèrement la viande.

3 Faites chauffer la moitié de l'huile dans une grande poêle à frire à fond épais et mettez-y les morceaux de lapin. Faites-les frire en les retournant de temps en temps, puis mettez-les dans une cocotte allant au feu.

4 Préchauffez le four à 160 °C (th. 5). Mettez les carottes et le céleri dans l'huile qui reste au fond de la poêle.

5 Faites revenir les légumes à feu doux pendant 3 min. Ajoutez l'ail. Dès que le parfum de l'ail s'exhale, versez le contenu de la poêle dans la cocotte.

6 Mettez celle-ci à chauffer à feu doux. Versez-y la marinade réservée et laissez le vin bouillonner et s'évaporer. Ajoutez la cannelle, les grains de poivre, le romarin et la purée de tomates diluée dans 30 cl d'eau. Couvrez, mettez au four et laissez cuire 1 h.

7 Pendant ce temps, faites chauffer le reste de l'huile dans une poêle à frire et mettez-y les petits oignons. Laissez-les fondre en les retournant de temps en temps. Saupoudrez de cassonade, secouez la poêle, puis laissez brunir et caraméliser pendant 5 à 6 min. Réservez.

8 Une fois que le lapin a cuit pendant 1 h, étalez les oignons caramélisés par-dessus et couvrez d'eau. Couvrez la cocotte, remettez-la au four et faites cuire 1 h. Servez sur des assiettes chaudes avec des brins de romarin frais.

Pour 4 personnes

1,6 kg de poulet fermier ou bio découpé
8 cl d'huile d'olive vierge extra
1 gros oignon haché
25 cl de vin rouge
2 cuil. à soupe de purée de tomates
1 bâton de cannelle
3 à 4 grains de poivre de la Jamaïque
2 feuilles de laurier
sel et poivre noir moulu
riz, *orzo* ou pommes de terre sautées,
    en accompagnement

Fricassée de poulet au vin rouge
kotopoulo kokkinisto alonnisou

C'est un plat traditionnel d'Alonnisos.
Il est assez spécial, aussi le mange-t-on de
préférence le dimanche et les jours de fête.
Cependant, il figure souvent au menu du
Meltemi, notre restaurant préféré sur la plage
de Megalo Mourtia. En Grèce, on le sert avec
du riz ordinaire ou de l'*orzo,* une pâte en
forme de larme ; mais il est encore meilleur
avec des pommes de terre sautées.

1 Faites chauffer l'huile dans une grande casserole ou dans une poêle à frire et faites dorer les
morceaux de poulet des deux côtés. Retirez-les
avec des pinces et réservez-les.

2 Mettez l'oignon dans l'huile bouillante et faites-
le fondre à feu moyen.

3 Remettez les morceaux de poulet dans la poêle,
versez le vin dessus et laissez réduire 2 à 3 min.
Ajoutez la purée de tomates diluée dans 45 cl
d'eau chaude, la cannelle, le poivre de la Jamaïque
et les feuilles de laurier. Salez et poivrez. Couvrez
et laissez cuire à feu doux 1 h. Servez avec du riz,
de l'*orzo* ou des pommes de terre sautées.

Pour 4 à 6 personnes

4 à 6 morceaux d'épaule d'agneau avec l'os
8 cl d'huile d'olive vierge extra
1 gros oignon émincé
5 à 6 ciboules hachées
2 carottes coupées en rondelles
1 citron pressé
1,2 kg de petits pois frais (environ 600 à
    700 g de petits pois écossés)
4 cuil. à soupe d'aneth frais haché
sel et poivre noir moulu

Agneau de printemps aux petits pois

arnaki me araka

En Grèce, l'agneau élevé sous la mère est particulièrement délicieux en avril et en mai, juste au moment où les premiers petits pois frais font leur apparition sur les marchés. Ici, on a associé ces ingrédients pour composer l'un des meilleurs plats grecs.

1 Faites chauffer l'huile dans une large casserole et mettez à revenir l'agneau des deux côtés. Quand la viande est dorée, sortez-la de la casserole et faites fondre les tranches d'oignon dans l'huile. Ajoutez les ciboules, faites cuire 1 min puis incorporez les carottes. Laissez revenir 3 à 4 min.

2 Remettez les morceaux d'agneau dans la casserole, versez le jus de citron dessus et laissez évaporer quelques secondes. Recouvrez la viande d'eau très chaude. Salez et poivrez. Couvrez et laissez mijoter 45 à 50 min en retournant la viande et en remuant les légumes de temps en temps.

3 Mettez les pois et la moitié de l'aneth. Ajoutez un peu d'eau si nécessaire. Couvrez à nouveau et laissez cuire 20 à 30 min. Parsemez avec le reste de l'aneth juste avant de servir.

Pour 4 à 6 personnes

1 kg de gigot d'agneau désossé et découpé
   en 4 à 6 morceaux de taille moyenne
5 cl d'huile d'olive
1 oignon haché
2 salades romaines déchirées en morceaux
6 ciboules coupées en tranches
4 cuil. à soupe d'aneth frais haché plus
   un peu pour garnir (facultatif)
2 œufs
1 cuil. à café de farine de maïs
1 citron pressé
sel

Fricassée d'agneau et de salade romaine

arnaki fricassee

Ce grand classique grec se déguste dans les îles et sur le continent depuis la mer Ionienne jusqu'à la mer Égée, en particulier pendant la période qui suit la fête de Pâques, lorsque les jeunes agneaux sont tendres et que l'on trouve de l'aneth frais en abondance sur les marchés.

Idéal pour un dîner entre amis du fait qu'il peut être préparé à l'avance, ce plat développe des saveurs insolites.

Assurez-vous qu'il y a beaucoup de liquide ; il servira à faire une sauce délicieuse : l'avgolemono. Servez avec beaucoup de pain frais pour déguster la sauce.

1 Faites chauffer l'huile dans une grande casserole à fond épais. Ajoutez l'oignon et laissez fondre 3 à 5 min.

2 Augmentez le feu et ajoutez les morceaux d'agneau. Faites cuire en retournant souvent jusqu'à ce que toute l'humidité se soit évaporée. Cela prendra environ 15 min.

3 Salez à votre goût et recouvrez d'eau. Couvrez la casserole et laissez mijoter 1 h.

4 Ajoutez la salade romaine, les ciboules et l'aneth. Si nécessaire, ajoutez un peu d'eau chaude de façon à recouvrir tous les légumes. Remettez le couvercle et laissez mijoter 15 à 20 min de plus. Sortez du feu et laissez reposer 5 min.

5 Pour préparer la sauce, battez légèrement les œufs dans un bol, ajoutez la farine de maïs diluée dans 12 cl d'eau et battez jusqu'à obtenir un mélange homogène. Ajoutez le jus de citron et fouettez rapidement, puis, tout en continuant de fouetter, versez progressivement 9 cl du liquide chaud contenu dans la casserole.

6 Versez la sauce sur la viande. Ne remuez pas, mais faites doucement tourner la casserole jusqu'à ce que la sauce soit incorporée au reste du liquide. Remettez la casserole sur feu doux pendant 2 à 3 min. Ne laissez surtout pas bouillir, la sauce risquerait de se cailler. Servez sur des assiettes chaudes et parsemez d'aneth haché si vous le souhaitez.

Pour 6 à 8 personnes

1 gigot d'agneau de 2 kg
3 gousses d'ail coupées en quatre dans le
    sens de la longueur, plus 6 à 8 gousses
    entières non épluchées ou 1 à 2 têtes d'ail
    coupées en deux
1 kg de pommes de terre épluchées et
    coupées en quatre dans le sens de la
    longueur
1 citron pressé
5 cl d'huile d'olive vierge extra
1 cuil. à café d'origan grec séché
1/2 cuil. à café de thym grec séché ou
    1 cuil. à café de thym frais haché
sel et poivre noir moulu

Gigot d'agneau aux pommes de terre et à l'ail

arnaki sto fourno me patates

C'est l'équivalent grec du gigot dominical occidental. Il se distingue cependant par la manière dont les Grecs le font cuire. Autrefois, les gens n'avaient pas de four, aussi les aliments étaient-ils confiés au boulanger local le matin et récupérés à l'heure du déjeuner. Il était essentiel que tout tienne dans un seul plat ; on disposait donc la viande et les pommes de terre arrosées d'huile d'olive et parsemées d'herbes dans un grand récipient en aluminium que l'on portait au boulanger. Ce dernier ajoutait de l'eau pour empêcher la viande de se dessécher dans le four brûlant. Le résultat était un délicieux repas complet, avec viande et pommes de terre, le tout nappé de sauce.

Aujourd'hui, on fait cuire le rôti chez soi (bien que dans certains villages le boulanger local perpétue la tradition), mais la méthode reste presque inchangée.

1 Préchauffez le four à 220 °C (th. 8). Mettez le gigot dans un grand plat à rôtir. Incisez-le à plusieurs endroits et glissez 1 ou 2 morceaux d'ail dans chaque entaille.

2 Placez les pommes de terre et les gousses d'ail entières ou les têtes d'ail coupées autour de la viande, arrosez de jus de citron et d'huile d'olive et versez 25 cl d'eau. Parsemez de la moitié des herbes, salez et poivrez.

3 Faites rôtir l'agneau 15 min, puis ramenez la température du four à 190 °C (th. 6). Laissez rôtir pendant 1 h. Retournez le gigot, ajoutez le reste des herbes et retournez les pommes de terre avec précaution. Salez et poivrez de nouveau, puis ajoutez 20 cl d'eau chaude. Faites cuire 25 à 30 min en arrosant de temps en temps avec le jus contenu dans le plat.

4 Couvrez le plat avec un torchon et laissez reposer 10 min avant de servir. On peut faire sortir les gousses d'ail de leur enveloppe et les manger avec la viande, elles sont délicieusement fondantes.

Pour 6 à 8 personnes

225 g de farine avec une pincée de sel
2 cuil. à soupe de sucre en poudre très fin
115 g de beurre doux coupé en dés

Pour la garniture
4 œufs
50 g de sucre en poudre
1 cuil. à soupe de farine
500 g de *myzithra* ou de ricotta fraîche
4 cuil. à soupe de miel grec parfumé
    au thym
1/2 cuil. à café de cannelle moulue

Tarte au fromage et au miel de Sifnos

melopitta siffnou

Cette sorte de tarte au fromage est une spécialité de la mer Égée faite avec du miel et un fromage local doux appelé *myzithra,* proche de la ricotta italienne. Elle se déguste à Pâques dans les Cyclades, en particulier à Sifnos et à Ios. À Santorin, la spécialité appelée *militinia* est une pâtisserie individuelle garnie de *myzithra,* d'œufs et de sucre, et parfumée avec une résine aromatique. La Crète a une spécialité similaire appétissante appelée *lyhnarakia* (petites lanternes).

1 Mélangez la farine et le sucre dans une jatte, puis incorporez le beurre jusqu'à ce que le mélange ressemble à de la chapelure. Progressivement, ajoutez 5 à 6 cl d'eau jusqu'à obtention d'une pâte collante, pas trop liquide. Pétrissez-la en forme de boule, enveloppez-la dans du film plastique et réfrigérez pendant 30 min.

2 Préchauffez le four à 180 °C (th. 6). Mettez une plaque à chauffer dans le four. Posez la pâte sur une surface légèrement farinée, étendez-la en une mince couche et garnissez-en un moule rond de 25 cm de diamètre. Coupez soigneusement toute la pâte qui dépasse.

3 Pour la garniture, battez les œufs dans une jatte, ajoutez le sucre et la farine, et battez jusqu'à obtention d'une mixture floconneuse. Incorporez le fromage, le miel et la moitié de la cannelle en continuant de battre.

4 Versez ce mélange dans le moule et égalisez la surface. Placez-le sur la plaque du four et faites cuire 50 à 60 min. Sortez la tarte du four et saupoudrez-la de cannelle pendant qu'elle est chaude.

PÂTE PRÊTE À L'EMPLOI

Vous pouvez gagner du temps en utilisant une pâte prête à l'emploi, fraîche ou congelée.

L'été

Des tomates mûres et odorantes, des herbes
parfumées et de grosses aubergines violettes

L'été est la plus belle des saisons, la saison des îles, où l'on reste debout sur les quais à regarder les bateaux de pêche décharger leur prise, où l'on vit dehors, même lorsqu'on ne possède qu'un modeste balcon dans un bloc d'immeubles à Athènes, la capitale bruyante et surchauffée.

L'été grec se caractérise avant tout par le parfum du jasmin et par les longs repas pris sous le feuillage argenté des oliviers aux abords d'une plage éclatante de blancheur. Je me souviens des parfums exotiques qui nous enivraient lorsque nous étions assis dans notre petit jardin d'Athènes, quand j'étais enfant. Je me rappelle aussi les saveurs estivales sur une petite île grecque.

Dégustons un merveilleux repas à L'Oliveraie, sur la plage de Lefto Yialo, à Alonnisos. Des plats fabuleux sortent de la cuisine de Magda Anagnostou : des aubergines cuites au four accompagnées de bols de *tzatziki,* du poulpe aux pâtes, des *plaki* de poisson cuit au four et, bien sûr, le plus sublime des plats estivaux, les tranches d'espadon ou de *mayatico* (sorte de thon à chair blanche) grillé. Il y a également des tranches de thon à chair foncée et des calmars entiers farcis à la feta.

Au coucher du soleil, on prépare le barbecue ; les meilleurs sont ceux de Panagiotis Kaloyiannis

ou de Nikos Malamatenios, dans le vieux village d'Alonnisos. C'est l'heure du *souvlaki* grillé – des dés de porc ou d'agneau immergés dans une marinade à l'ail, puis mis en brochettes et cuits sur les charbons. Les *souvlakis* de poulet sont également délicieux, surtout lorsqu'on les sert avec ces poivrons effilés typiques de l'île et qu'on les parsème d'origan avant de les faire griller. Mais les meilleurs sont sans doute les *souvlakis* d'espadon.

L'été donne un caractère ludique et joyeux à la cuisine grecque. Les légumes colorés prennent une grande importance, surtout sur la table du déjeuner. Des repas de midi tout simples comme la *strapatsatha* – des œufs brouillés aux tomates fraîches – ont une saveur incomparable, associant la chaleur du soleil à la douceur épanouie de l'été.

Ci-contre
L'été est la saison des grosses aubergines violettes que l'on fait cuire de différentes façons : mijotées dans des sauces, cuites au four avec une farce ou coupées en tranches et frites pour la traditionnelle moussaka.

Ci-dessus
Le thym est originaire de Grèce et pousse à l'état sauvage dans les montagnes. On le cueille en été et on le fait sécher en bouquets pour parfumer les plats d'hiver.

C'est la saison des grosses aubergines violettes, qui transforment le plat le plus ordinaire en un véritable festin.

Tous ceux qui visitent la Grèce l'été devraient aller faire un tour chez le boulanger local à l'heure du déjeuner pour humer les délicieux effluves qui s'échappent de son four. Autrefois, les maisons grecques n'avaient pas de four, et l'on préparait les repas dans de grands récipients ronds en aluminium appelés *tapsia*, que l'on portait au boulanger le matin pour qu'il les fasse cuire dans son four encore chaud de la fournée du jour. Grâce à ce système, les maisons restaient fraîches ! Aujourd'hui encore, même si presque toutes les maisons ont l'électricité, les gens continuent de porter leurs *tapsia* au boulanger du coin lorsqu'il fait trop chaud.

C'est l'été qu'a lieu l'une des plus importantes fêtes de l'Église orthodoxe grecque, l'Assomption, le 15 août, qui commémore l'ascension de la Vierge Marie au paradis. Cette fête est précédée de deux semaines de jeûne. Le 15 août se déroulent toutes sortes de festivités, en particulier dans les îles. Après la liturgie matinale, la plupart des gens organisent un grand déjeuner. Invariablement, on sert de l'agneau rôti avec des pommes de terre et de l'ail, du chevreau rôti ou encore le délicieux yiouvetsi (agneau cuit au four avec des tomates, de l'ail et des pâtes).

Après ce long jeûne, chacun mange de bon appétit. L'été étant la saison des excès, on se fait plaisir. Les légumes colorés et les herbes parfumées sont les ingrédients qui font le charme des plats d'été, en particulier des *souvlakis*.

Ci-dessus
Dans une cuisine grecque traditionnelle, des tomates mûries au soleil attendent d'être cuites en ragoût ou en fricassée.

Ci-contre
Bateaux de pêche au crépuscule dans le port de Hydra.
L'été, le badaud peut rester des heures sur les quais
à regarder les pêcheurs décharger leurs prises.

À gauche
Les aubergines, l'un des légumes d'été les plus populaires
en Grèce, entrent dans la composition de nombreux plats.

Ci-contre
L'okra, un autre légume très apprécié des Grecs, est mijoté
avec de la viande ou de la volaille et des tomates.

en tranches, il laisse échapper un liquide collant
qui sert d'épaississant lorsqu'on le fait cuire.
Cuites entières, les gousses ont un goût sucré
et une texture fondante. L'okra est très apprécié
en Grèce. Il se marie délicieusement avec les
viandes et la volaille, mais on l'utilise aussi pour
les *bamies*, les timbales de tomates fraîches – l'un
de mes plats préférés, surtout lorsqu'il est servi
avec de gros morceaux de feta et des tranches de
pain croustillant.

Dans la cuisine estivale grecque,
les principaux ingrédients sont les légumes – des
tomates bien mûres aux formes irrégulières aux
magnifiques aubergines violettes en passant
par l'okra et les différentes variétés de haricots
verts frais.

Les aubergines

Les grosses aubergines bien brillantes sont un
des légumes d'été les plus prisés en Grèce et
elles interviennent dans la composition de nombreux plats. Autrefois, elles avaient tendance à
être amères, aussi fallait-il les couper en tranches
et les mettre à tremper dans de l'eau salée avant
de les faire cuire. Cela n'est plus nécessaire avec
les variétés modernes, même si on le conseille
encore pour certaines recettes. Les aubergines
adorent l'huile d'olive et la boivent comme du
papier buvard, il faut donc les cuire avec précaution. Il est plus sain de les faire cuire au four que
de les frire.

L'okra

Les gousses vertes de l'okra, une haute plante
annuelle, sont également nommées « doigts de
dame ». La plante mère peu atteindre 2 mètres de
haut. En Grèce, les gousses d'okra sont plutôt
petites et minces. Il faut donc les manipuler avec
précaution pour éviter de les endommager.

Ce légume originaire d'Afrique est couramment utilisé dans la cuisine créole. Une fois coupé

COMMENT PRÉPARER L'OKRA

• Lorsque vous préparez l'okra pour le faire
cuire entier, retirez l'extrémité conique de
chaque gousse à l'aide d'un petit couteau
pointu, en coupant droit ou en biais.

• Évitez de couper profondément pour ne pas
mettre à nu les graines contenues à l'intérieur.
• Retirez le bout noir à l'autre extrémité, toujours
en évitant de couper trop profondément.
• Rincez rapidement les gousses à l'eau froide
et égouttez-les bien. Ne les coupez pas en
tranches, sauf si vous avez besoin du liquide
collant pour épaissir un plat.

Ci-contre
En Grèce, les haricots verts fins sont bouillis, assaisonnés avec de l'huile d'olive et du citron et mangés en salade.

Ci-dessous
Le pourpier pousse à l'état sauvage dans toute la Grèce. Cette plante délicate a un léger goût citronné qui est très rafraîchissant.

sont les frères jumeaux des *borlotti* italiens, et ils sont toujours cuits en fricassée.

Le pourpier

Cette plante charnue qui ressemble à une herbe aromatique est très prolifique et prospère dans toute la Grèce. Plus on la cueille, plus elle repousse. Le pourpier sauvage est plus élancé et a des feuilles plus petites et plus croquantes que la variété cultivée, aux feuilles velues et argentées et à la tige épaisse. On mange les feuilles et les tiges en salade. La plante a un léger goût citronné rafraîchissant. Pour la préparer, coupez et jetez la partie la plus grosse des tiges, puis hachez les feuilles et les tiges plus fines. Assaisonnez avec de l'huile d'olive et du jus de citron. Le pourpier peut également être mangé en salade avec du concombre et des tomates coupés en dés, ou avec d'autres légumes.

Les tomates

Importée d'Amérique du Sud au XVIe siècle par Christophe Colomb, la tomate est bien implantée en Grèce. En été, sans la tomate, la gastronomie grecque ne serait pas ce qu'elle est, car elle se marie admirablement avec les autres légumes. Les tomates sont utilisées de multiples façons. On peut les farcir ou les faire cuire en fricassée, et les salades de tomates sont omniprésentes sur la table hellénique. Dans l'île de Santorin, on fait même de délicieuses croquettes de tomates.

Les courgettes

Les courgettes grecques *(zucchini)* sont différentes de la variété vert foncé que nous connaissons. Elles sont claires avec des rayures blanches, ont la peau lisse et peuvent être très courtes et arrondies. Leur goût est très doux et on les fait souvent frire ou bouillir pour les servir en salade ou farcies. Le *briami*, des courgettes cuites au four avec des pommes de terre, reste ma recette préférée.

Les haricots verts frais

Les Grecs ont plusieurs variétés de haricots verts. Au commencement de l'été, les longs et minces *ambellofasoula* sont bouillis et servis en salade avec de l'huile d'olive et du citron. Ensuite viennent les *tsaoulia* et, enfin, les meilleurs, les *barbounia* plats. Vers le mois d'août, les gousses ourlées de rouge des *handres*, un joli nom qui signifie « perles », commencent à apparaître sur les marchés. Ce

Les câpres

Les câpres poussent en Grèce à l'état sauvage.
Ce sont les boutons des fleurs d'un joli buisson
rampant. Si on les laisse se développer, les
boutons s'ouvrent pour donner de grosses fleurs
roses qui ressemblent à des églantines. Les câpres
ne se mangent pas fraîches, mais saumurées ou
salées. À Santorin, où les îliens sont particulièrement fiers de leurs câpres, on conserve également
dans la saumure les jeunes pousses de câprier
pour les servir en *meze* avec de l'huile d'olive. Il
faut toujours soigneusement rincer les câpres
avant de les utiliser en cuisine.

L'origan

Appelé *rigani* en grec, l'origan est l'herbe la plus
couramment assimilée à la cuisine grecque.
Originaire de la Méditerranée, c'est une petite
plante ligneuse aux minuscules feuilles aromatiques vertes. En Grèce, l'origan pousse à l'état
sauvage dans la montagne et dans les champs en
jachère ; au milieu du mois de juillet, il apparaît
comme une masse de petites fleurs blanches.
Fin juillet, les Grecs cueillent d'énormes bouquets
d'origan qu'ils laissent accrochés dans un endroit
sombre pendant une semaine pour les laisser
sécher. L'arôme s'intensifie lorsque l'herbe sèche,
et l'on écrase les bouts et les feuilles pour les
conserver en bocal en prévision des mois d'hiver.

L'origan prête sa saveur caractéristique à de
nombreux plats, depuis la soupe et les fricassées
aux haricots jusqu'aux *souvlakis* et aux boulettes
de viande frites.

Le thym

Le thym, *thymari* en grec, est une petite plante
ligneuse aux fleurs violettes. Originaire de la Grèce,
il pousse à l'état sauvage dans toutes les régions
montagneuses. Son arôme magnifique s'intensifie
lorsque l'herbe sèche. Comme l'origan, le thym
est cueilli par bouquets et séché en prévision des
mois d'hiver. C'est un ingrédient essentiel pour les
rôtis et les grillades de viande ou de poisson ; il est
souvent associé à l'origan.

Ci-contre
L'origan est omniprésent dans la cuisine grecque. Cette herbe
caractéristique est utilisée pour parfumer de nombreux plats,
depuis les viandes grillées jusqu'aux soupes et aux fricassées.

Ci-dessus
Comme l'origan, le thym est un ingrédient d'été essentiel,
souvent utilisé pour parfumer les brochettes de viande
et de poisson cuites au barbecue.

Page ci-contre
Dans le sens des aiguilles d'une montre à partir du haut à
gauche, de belles fleurs de courgettes *(zucchini)* jaunes ; du
poulet grillant au barbecue avec des poivrons et des tomates ; des
feuilles de pourpier mélangées à des dés de feta, des tomates,
des oignons et des olives pour une salade estivale ; des tomates
mûries au soleil ; de grosses crevettes prêtes à être grillées.

Pour 4 personnes

3 courgettes (zucchini)
1 aubergine
25 g de farine
huile de tournesol pour la friture
sel et poivre noir moulu

Pour le tzatziki
1 concombre moyen (15 cm)
200 g de yoghourt à la grecque
1 à 2 gousses d'ail écrasées
1 cuil. à soupe d'huile d'olive vierge extra
2 cuil. à soupe de feuilles de menthe fraîche
   hachées

Courgettes et aubergines frites, sauce au concombre et au yoghourt

kolokythakia ke melitzanes me tzatziki

Le tzatziki est un hors-d'œuvre simple et rafraîchissant idéal pour les chaudes journées d'été. On peut le servir avec des viandes grillées et des rôtis, mais il est encore meilleur avec des tranches de courgettes et d'aubergines frites. Accompagné d'une salade, ce plat est un hors-d'œuvre très agréable pour un dîner ou un déjeuner léger.

1 Préparez d'abord le tzatziki. Épluchez le concombre, râpez-le au-dessus d'une passoire et pressez-le pour en extraire le jus. Incorporez le jus dans le yoghourt avec l'ail, l'huile d'olive et la menthe. Salez, couvrez et réfrigérez.

2 Coupez l'extrémité des courgettes et de l'aubergine, puis rincez-les et séchez-les avec de l'essuie-tout. Coupez-les dans le sens de la longueur en tranches minces et farinez-les légèrement.

3 Faites chauffer l'huile dans une grande poêle anti-adhésive et plongez-y les tranches d'aubergine en une seule couche. Faites-les cuire 1 à 2 min, puis retournez-les et faites-les dorer de l'autre côté. Sortez les tranches de la poêle, égouttez-les sur de l'essuie-tout et gardez-les au chaud pendant que vous faites cuire le reste des courgettes et de l'aubergine.

4 Placez les tranches d'aubergine et de courgettes dans une jatte, salez et poivrez. Servez aussitôt, accompagné du tzatziki garni de feuilles de menthe fraîche.

SALEZ AU DERNIER MOMENT

Si vous préparez le tzatziki plusieurs heures à l'avance, ne le salez qu'au dernier moment. Si le sel est ajouté trop tôt, le mélange concombre-yoghourt rendra son eau.

Pour 4 personnes

3 grosses aubergines (poids total de 900 g)
1 cuil. à soupe d'oignon haché
2 gousses d'ail écrasées
1/2 citron pressé ou un peu plus
10 cl d'huile d'olive vierge extra
1 tomate mûre pelée, épépinée et coupée
   en petits dés
sel et poivre noir moulu
persil plat frais finement haché, pour garnir
endives et olives vertes et noires,
   en accompagnement

Purée froide d'aubergines

melitzanosalata

Au plus fort de l'été, la melitzanosalata constitue un *meze* d'une surprenante fraîcheur. Pour être vraiment puriste, il faut faire griller les aubergines sur des charbons de bois afin qu'elles prennent un délicieux goût de fumé. Le mélange est habituellement servi avec des toasts ou de la pitta.

1 Piquez les aubergines et faites-les griller sur un barbecue à feu doux ou moyen pendant au moins 1 h en les retournant de temps en temps. Si vous les faites cuire au four, piquez-les et posez-les directement sur les plaques. Faites rôtir à 180 °C (th. 6) pendant 1 h en les retournant deux fois.

2 Laissez refroidir les aubergines et coupez-les en deux. Mettez la chair dans un robot et ajoutez l'oignon, l'ail et le jus de citron. Assaisonnez et mixez jusqu'à obtention d'une mixture lisse.

3 Tout en continuant de mixer, ajoutez l'huile d'olive jusqu'à ce que le mélange forme une pâte bien lisse. Goûtez et rectifiez l'assaisonnement, puis versez le mélange dans une petite jatte et ajoutez les dés de tomates. Couvrez et réfrigérez. Garnissez de persil et servez avec des feuilles d'endives et des olives.

Pour 4 personnes

6 œufs légèrement battus
700 g de tomates hachées
6 cl d'huile d'olive vierge extra
2 à 3 échalotes hachées menu
1 pincée d'origan séché ou 1 cuil. à café
   de thym frais haché
1/2 cuil. à café de sucre
sel et poivre noir moulu
herbes fraîches, pour garnir

Œufs brouillés et tomates

strapatsatha

Ce plat très simple est délicieux, surtout
si on le prépare au cœur de l'été avec des
tomates du jardin bien mûres et parfumées.
Il se déguste dans toute la Méditerranée,
avec des variantes locales. La piperade
française lui ressemble, mais elle inclut
du jambon de Bayonne.

   La strapatsatha fait un déjeuner savoureux
pour journée ensoleillée. Servez avec une
salade et des tranches de pain grillé ou frais.

1 Faites chauffer l'huile d'olive dans une grande
poêle à frire et mettez à fondre les échalotes en
remuant de temps en temps.

2 Ajoutez les tomates, l'origan ou le thym, le
sucre, puis salez et poivrez à votre goût. Faites
cuire à feu doux pendant 15 min jusqu'à ce que
la sauce commence à épaissir.

3 Ajoutez les œufs battus et faites cuire 2 à 3 min
en remuant constamment à l'aide d'une spatule
en bois. Les œufs doivent être à peine cuits.
Servez sans attendre avec des herbes fraîches.

Pour 4 personnes

3 aubergines de taille moyenne (poids total
    d'environ 800 g)
15 cl d'olive vierge extra
2 gros oignons hachés menu
3 gousses d'ail hachées menu
500 g de tomates fraîches épluchées
    et hachées
1/2 cuil. à café d'origan séché
1/2 cuil. à café de thym séché
1/2 cuil. à café de sucre
3 cuil. à soupe de persil frais haché
1 cuil. à soupe de purée de tomates
sel et poivre noir moulu

Aubergines avec garniture de tomates

melitzanes imam bayildi

L'imam bayildi est peut-être le plus célèbre des
plats grecs. Aujourd'hui, j'en prépare une variante
allégée, avec des tranches d'aubergines garnies
de tomates, d'herbes et d'huile d'olive. On peut
le servir chaud ou à température ambiante,
accompagné d'une salade comme plat de
résistance ou avec d'autres *mezethes.*

1 Coupez l'extrémité des aubergines, puis tranchez-les
en rondelles d'1 cm d'épaisseur. Faites chauffer la moitié
de l'huile d'olive dans une grande poêle à frire et faites
dorer les aubergines en les retournant une fois. Disposez
les tranches cuites côte à côte dans un grand plat à rôtir.

2 Faites chauffer le reste de l'huile dans une casserole
et faites fondre les oignons. Ajoutez l'ail puis, dès qu'il
exhale son parfum, incorporez les tomates et un peu
d'eau. Assaisonnez, mettez l'origan, le thym et le sucre,
puis couvrez et laissez cuire 15 min en remuant de temps
en temps.

3 Préchauffez le four à 190 °C (th. 6). Incorporez le persil
dans la sauce, puis mettez 1 ou 2 cuillerées à soupe du
mélange sur chaque tranche d'aubergine. Diluez la purée
de tomates dans 15 cl d'eau chaude puis versez-la dans
le plat entre les ranches d'aubergines. Faites cuire au four
20 à 25 min en arrosant les aubergines une fois.

Pour 4 personnes

4 grosses aubergines (poids total d'1,2 kg)
15 cl d'huile de tournesol
50 g de parmesan ou de cheddar
    fraîchement râpé

Pour la sauce
5 cl d'huile d'olive vierge extra
2 gousses d'ail écrasées
2 boîtes de tomates de 400 g
1 cuil. à café de purée de tomates
1/2 cuil. à café de sucre
1/2 cuil. à café d'origan grec
2 à 3 cuil. à soupe de persil plat frais haché
sel et poivre noir moulu

Aubergines au four
avec tomates et fromage
melitzanes sto fourno

Ce plat est délicieux, surtout au cœur de l'été,
lorsque les aubergines ont un goût très doux.

1 Retirez l'extrémité des aubergines et coupez-les
dans le sens de la longueur en tranches d'1 cm
d'épaisseur. Faites chauffer l'huile dans une grande
poêle à frire et faites dorer les tranches des
deux côtés. Sortez-les dès qu'elles sont dorées et
égouttez-les sur de l'essuie-tout.

2 Disposez les tranches d'aubergine en 2 couches
dans un plat à four. Salez et poivrez.

3 Pour la sauce, faites chauffer l'huile à feu doux
dans une grande casserole, ajoutez l'ail et faites
revenir pendant quelques secondes. Incorporez
les tomates, la purée de tomates, le sucre et l'origan, et assaisonnez à votre goût. Couvrez et laissez
mijoter 25 à 30 min en remuant de temps en temps.
Ajoutez le persil et faites cuire 2 à 3 min.

4 Parallèlement, préchauffez le four à 180 °C
(th. 6). Répandez la sauce sur les aubergines de
façon à les recouvrir. Parsemez de fromage râpé
et faites cuire au four pendant 40 min.

Pour 4 personnes en plat principal
Pour 6 personnes en entrée

700 g d'okra frais
15 cl d'huile d'olive vierge extra
1 gros oignon émincé
700 g de tomates fraîches coupées
    en tranches ou 400 g de tomates
    concassées en boîte
1/2 cuil. à café de sucre
2 cuil. à soupe de persil plat haché
sel et poivre noir moulu

Timbale d'okra et de tomates
bamies

L'okra fait une timbale délicieusement douce,
et c'est l'un des meilleurs plats végétariens
qui soient. L'été, accompagné de tomates
fraîches, de feta et de pain croustillant,
c'est mon déjeuner préféré. Servez chaud
ou à température ambiante.

1 Préparez les gousses d'okra comme il est indiqué
dans l'introduction à ce chapitre (p. 50).

2 Faites chauffer l'huile dans une grande casserole profonde ou dans une poêle à frire et faites
fondre les tranches d'oignon. Ajoutez les tomates
fraîches ou en boîte ainsi que le sucre, salez et
poivrez à votre goût. Faites cuire 5 min.

3 Ajoutez l'okra et remuez la poêle de façon à bien
répartir les gousses et à les enrober de sauce.
L'okra doit être complètement recouvert de sauce ;
ajoutez un peu d'eau si nécessaire.

4 Laissez cuire à feu doux 30 à 40 min. Remuez
la poêle de temps en temps. Parsemez de persil
juste avant de servir.

Pour 4 personnes

800 g de haricots verts équeutés
15 cl d'huile d'olive vierge extra
1 gros oignon émincé
2 gousses d'ail hachées
2 petites pommes de terre épluchées
    et coupées en dés
700 g de tomates ou 400 g d'olivettes
    concassées en boîte
3 à 4 cuil. à soupe de persil frais haché
sel et poivre noir moulu

Haricots verts frais à la sauce tomate

fasolakia

Ce plat d'été classique se prépare avec
différentes sortes de haricots verts suivant
ce que l'on trouve sur les marchés. Quand
les haricots sont tendres et les tomates
bien mûres, ce plat, si frugal soit-il, est
extraordinairement délicieux. On le sert en
général avec de la feta et du pain frais.

1 Si les haricots sont très longs, coupez-les en
deux. Plongez-les dans un récipient d'eau froide.

2 Faites chauffer l'huile d'olive dans une grande
poêle, mettez-y l'oignon et faites-le fondre. Ajoutez
l'ail, puis, dès qu'il exhale son parfum, incorporez
les pommes de terre et faites revenir le tout pendant quelques minutes.

3 Ajoutez les tomates avec 15 cl d'eau chaude et
faites cuire 5 min. Égouttez les haricots, rincez-les
et égouttez-les à nouveau, puis jetez-les dans la
poêle avec un peu de sel et de poivre. Couvrez et
laissez mijoter 30 min. Ajoutez le persil haché avec
un peu plus d'eau chaude si le mélange a l'air sec.
Faites cuire encore 10 min. Servez chaud, avec de
la feta si vous le souhaitez.

Pour 4 personnes

250 g de tomates
1 oignon rouge émincé
1 poivron vert épépiné et coupé en minces
  lanières
1 concombre moyen (15 cm) épluché
  et coupé en rondelles
150 g de feta coupée en dés
1 grosse poignée de pourpier frais
  débarrassé des tiges les plus épaisses
  et rincé
8 à 10 olives noires
10 cl d'huile d'olive vierge extra
1 cuil. à soupe de jus de citron
2 pincées d'origan séché
sel et poivre noir moulu

Salade de tomates mûries au soleil avec feta et pourpier

horiatiki salata me glystritha

La salade horiatiki est l'aliment de base des
touristes en été. Également appelée salade
grecque, elle est composée de tomates,
de poivrons, d'oignon, de concombre, de feta
et d'olives. Les Grecs préfèrent cette version
plus originale, parfumée avec du pourpier frais
qui pousse à l'état sauvage dans les jardins
ou les champs en jachère.

Cette salade est un accompagnement idéal
pour les grillades de poisson, de calmar ou de
viande ; mais étant très consistante, elle peut
aussi constituer un repas à part entière, servie
avec du pain frais croustillant. Vous pouvez
remplacer le pourpier par de la roquette.

1 Coupez les tomates en quatre et mettez-les
dans un saladier. Ajoutez l'oignon, le poivron vert,
le concombre, la feta, le pourpier et les olives.

2 Arrosez d'huile d'olive et de jus de citron et
parsemez d'origan. Salez et poivrez à votre goût,
puis mélangez bien. Avant de servir, laissez reposer
10 à 15 min à température ambiante.

Pour 4 personnes

4 steaks de morue ou de colin
2 à 3 brins de persil plat frais
4 tranches de pain blanc grillé et écrasé
  dans un robot

Pour la sauce
9 cl d'huile d'olive vierge extra
1 verre de vin blanc (environ 17 cl)
2 gousses d'ail écrasées
4 cuil. à soupe de persil plat frais haché
  menu
1 piment rouge ou vert frais épépiné
  et haché menu
400 g de tomates mûres pelées et coupées
  en petits dés
sel et poivre noir moulu

Poisson à la mode de Spetse

psari a la spetsiota

Dans la minuscule île de Spetse, toutes sortes de poissons sont préparés ainsi. Servez ce plat avec une grosse salade ou des petites pommes de terre et des haricots verts à l'ail.

1 Pour préparer la sauce, mélangez tous les ingrédients dans une jatte, salez et poivrez. Réservez.

2 Préchauffez le four à 190 °C (th. 6). Rincez les steaks de poisson et séchez-les à l'essuie-tout. Disposez-les en une seule couche dans un plat à four huilé et parsemez de persil. Salez et poivrez.

3 Versez la sauce sur le poisson, puis ajoutez la moitié de la chapelure. Faites cuire au four 10 min. Sortez le plat du four et arrosez de jus. Parsemez avec le reste de la chapelure, puis enfournez à nouveau 10 à 15 min.

FAITES CUIRE AINSI UN POISSON ENTIER

Utilisez 2 variétés de poisson, comme du bar ou du capiton, d'un poids total d'1 kg. Rincez bien l'intérieur comme l'extérieur, séchez, puis insérez les brins de persil dans la chair. Ajoutez la sauce et la chapelure comme indiqué ci-dessus. Faites cuire au four 15 min, puis retournez les poissons avec précaution et cuisez à nouveau 20 à 25 min.

Pour 4 personnes

450 g de crevettes grises ou roses
    décortiquées, décongelées si vous
    n'utilisez pas de crevettes fraîches
8 cl d'huile d'olive vierge extra
1 oignon haché
1/2 poivron rouge épépiné et coupé en dés
700 g de tomates mûres pelées et hachées
1 bonne pincée de sucre
1/2 cuil. à café d'origan séché
2 cuil. à soupe de persil plat frais haché
75 g de feta coupée en dés
sel et poivre noir moulu

Crevettes à la tomate et à la feta

garithes yiouvetsi

Cette recette originale doit son nom au plat dans lequel on la cuit traditionnellement : un *yiouvetsi* ; c'est un plat à four rond sans couvercle, fait en poterie rouge foncé et verni.

Ce plat est synonyme de déjeuners paresseux au soleil, au bord de la mer. Servez-le comme entrée pour six personnes avec beaucoup de pain croustillant pour saucer, ou avec du riz comme plat principal.

1 Faites chauffer l'huile dans une poêle à frire, mettez l'oignon à fondre à feu doux pendant quelques minutes. Ajoutez les dés de poivron rouge et laissez cuire 2 à 3 min en remuant de temps en temps.

2 Incorporez les tomates hachées, le sucre et l'origan, puis salez et poivrez à votre goût. Faites cuire à feu doux 15 min en remuant de temps en temps pour faire réduire la sauce.

3 Préchauffez le four à 180 °C (th. 6). Mettez les crevettes et le persil dans la sauce tomate, mélangez, transférez dans un plat à four et étalez de façon régulière. Parsemez de dés de feta, puis cuisez au four 30 min. Servez très chaud avec une salade verte.

Pour 4 personnes

20 à 24 gros dés d'espadon (poids total
    de 700 à 800 g une fois préparés)
2 oignons rouges coupés en quatre
2 poivrons rouges ou verts coupés en quatre
    et épépinés
8 cl d'huile d'olive vierge extra
1 gousse d'ail écrasée
1 grosse pincée d'origan séché
sel et poivre noir moulu

Brochettes d'espadon grillé

xifias souvlaki

Il est toujours passionnant de regarder les pêcheurs décharger un espadon dans le grand port d'Alonnisos ou dans le petit village de pêche de Steni Vala, surtout si l'on songe que bientôt cet espadon sera vendu sur le marché local et qu'il y aura des souvlakis au menu le soir.

Les souvlakis sont des morceaux de viande ou de poisson enfilés sur des brochettes en métal, souvent en alternance avec des morceaux de poivron et d'oignon. Le mot est dérivé de *souvla,* la longue broche en métal sur laquelle on embroche les chevreaux ou les agneaux entiers pour les faire cuire au-dessus d'un feu en plein air.

Les souvlakis de viande et de poisson sont meilleurs lorsqu'on les fait griller ainsi en plein air. Ils prennent un goût de fumé unique qui fait monter l'eau à la bouche.

1 Défaites les quartiers d'oignon en morceaux de deux ou trois couches chacun. Coupez chaque quart de poivron en deux dans le sens de la largeur.

2 Pour les souvlakis, enfilez 5 ou 6 morceaux d'espadon sur chacune des brochettes en métal en alternant avec des morceaux de poivron et d'oignon. Posez les souvlakis en travers d'un plat à gril ou à rôtir et mettez-les de côté pendant que vous préparez la sauce.

3 Pour la sauce, mélangez dans un bol l'huile d'olive, l'ail et l'origan, en fouettant. Salez et poivrez et fouettez à nouveau. Badigeonnez généreusement les souvlakis avec la sauce.

4 Préchauffez le gril au point le plus chaud ou préparez un barbecue. Glissez le plat à gril ou à rôtir sous le gril ou transférez les brochettes au barbecue en évitant de les placer trop près du feu. Cuisez-les 8 à 10 min en les retournant plusieurs fois jusqu'à ce que le poisson soit cuit et que les poivrons et les oignons commencent à griller sur les bords. Chaque fois que vous retournez les brochettes, badigeonnez-les avec de la sauce.

5 Servez sans attendre avec une salade de concombre, d'oignon et d'olives.

LA DÉCOUPE DU POISSON

Le poissonnier préparera les dés d'espadon si vous le lui demandez. Si vous préférez le faire vous-même, comptez 800 g de poisson. Les dés doivent avoir environ 5 cm de côté.

Pour 4 personnes

4 calmars de taille moyenne (poids total
    de 900 g)
4 à 8 bâtonnets de feta de la longueur
    d'un doigt
10 cl d'huile d'olive
2 gousses d'ail écrasées
3 à 4 brins de marjolaine fraîche hachée
sel et poivre noir moulu
quartiers de citron, pour servir

Calmars grillés farcis à la feta
kalamarakia sharas me feta

Tous les étés, lorsque nous retournons à Alonnisos, nous faisons halte à L'Oliveraie, le merveilleux restaurant de Magda Anagnostou situé sur la plage de Lefto Yialo, éclatante de blancheur. Les calmars grillés farcis à la feta sont l'un de nos plats préférés. Le calmar, précisons-le en passant, est toujours pêché la veille au soir par le beau-père de Magda, sauf si la lune est pleine, car alors le rusé mollusque se cache dans les herbes.

Servez ce plat avec une grosse salade verte ou des légumes, par exemple des haricots verts frais à la sauce tomate ou une timbale d'okra à la tomate.

1 Préparez le calmar selon les instructions figurant dans l'introduction au chapitre d'hiver (p. 129), mais laissez les corps intacts. Rincez-les bien à l'intérieur comme à l'extérieur et égouttez-les. Disposez les corps et les tentacules en une seule couche dans un plat peu profond. Glissez les bâtonnets de feta entre les morceaux de calmar.

2 Pour préparer la marinade, versez l'huile dans un bol et ajoutez l'ail et les feuilles de marjolaine en fouettant. Salez et poivrez à votre goût. Versez la marinade sur les calmars et la feta, puis couvrez et laissez mariner dans un endroit frais pendant 2 à 3 h en retournant une fois.

3 Insérez 1 ou 2 bâtonnets de feta et quelques feuilles de marjolaine de la marinade dans chaque corps de calmar et placez-les sur un plat à gril légèrement huilé. Enfilez les tentacules sur des brochettes.

4 Préchauffez le gril sur feu doux ou préparez un barbecue. Faites griller les calmars farcis à feu doux pendant 6 min, puis retournez-les avec précaution. Faites-les à nouveau griller 1 à 2 min, puis ajoutez les brochettes de tentacules que vous ferez cuire 2 min de chaque côté. Servez les calmars farcis en même temps que les tentacules avec quelques quartiers de citron.

Pour 4 personnes

1,6 kg de poulet fermier ou bio
9 cl d'huile d'olive vierge extra
1 cuil. à café d'origan séché
400 g d'olivettes concassées en boîte
2 gousses d'ail écrasées
600 g d'okra
3 cuil. à soupe de persil à feuilles plates
   frais haché
sel et poivre noir moulu

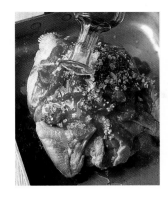

Poulet rôti à l'okra

kotopoulo me bamies fournou

Mon mari, anglais, a tant aimé ce plat lorsqu'il l'a goûté pour la première fois chez mes parents à Athènes au début des années soixante-dix que, par la suite, ma mère l'a toujours mis au menu lorsque nous séjournions chez eux.

Si l'okra – ou « doigts de dame » – est très exotique dans les pays occidentaux, en Grèce, ce légume est un aliment de base. On peut le faire cuire seul ou bien avec de la viande d'agneau ou de bœuf, et il est absolument délicieux dans une fricassée de poulet.

1 Préchauffez le four à 200 °C (th. 7). Mettez le poulet dans un plat à rôtir avec les blancs tournés vers le bas. Répandez sur la volaille la moitié de l'huile d'olive et parsemez avec la moitié de l'origan. Ajoutez les tomates, l'ail et 30 cl d'eau chaude. Mettez au four 30 min.

2 Pendant ce temps, préparez l'okra. Laissez chaque gousse intacte et coupez l'extrémité conique à l'aide d'un petit couteau pointu. N'entaillez pas la gousse qui renferme les jus visqueux (reportez-vous à la p. 50 pour plus d'information sur la préparation de l'okra). Rincez soigneusement l'okra à l'eau froide et égouttez-le. Répétez l'opération jusqu'à ce que l'eau soit claire.

3 Au bout de 30 min, sortez le plat du four et retournez le poulet. Ajoutez l'okra et répartissez-le autour de la volaille. Arrosez avec le reste de l'huile, puis parsemez le reste d'origan. Assaisonnez, ajoutez le persil et 15 cl d'eau chaude. Retournez l'okra dans la sauce à l'aide d'une spatule.

4 Ramenez la température du four à 190 °C (th. 6) et faites cuire le poulet 1 h. Sortez le plat du four de temps en temps et arrosez le poulet et les légumes.

5 Ce plat est meilleur chaud, mais il peut attendre 30 min. Servi avec une salade et du pain frais, c'est un plat principal idéal.

VÉRIFIEZ LE TEMPS DE CUISSON

Si vous achetez une grosse volaille ou si vous utilisez de grosses gousses d'okra, vous devrez peut-être prolonger le temps de cuisson. Le poulet est cuit quand les articulations se relâchent et que le jus qui s'écoule lorsqu'on pique la cuisse avec la pointe d'un couteau n'est plus rose.

Pour 4 à 6 personnes

1 poulet et 1/2 découpé (poids total de
2,25 kg) ou 12 morceaux de poulet
2 à 3 poivrons rouges ou verts coupés
en quatre et épépinés
4 à 5 tomates coupées en deux
horizontalement
quartiers de citron, pour servir

Pour la marinade
9 cl d'huile d'olive vierge extra
1 gros citron pressé
1 cuil. à café de moutarde de Dijon
4 gousses d'ail écrasées
2 piments rouges ou verts frais épépinés
et hachés
1 cuil. à café d'origan séché
sel et poivre noir moulu

Poulet grillé à l'ail et aux poivrons

kotopoulo sti shara me piperies

Une marinade créative peut faire toute la différence
en donnant du goût à la chair de poulet,
naturellement assez insipide. L'été, nous servons
souvent ce plat au dîner, car il est très agréable
de cuisiner sous les étoiles plutôt que dans
une cuisine torride. Il suffit de laisser mariner
le poulet au réfrigérateur toute une nuit. Le soir,
pendant que le poulet cuit au barbecue, nous
préparons une grosse salade et un bol de *tzatziki.*

Ne lésinez pas sur les quantités : cette recette est
tellement délicieuse qu'il n'y a jamais de restes !

1 Si vous découpez vous-même le poulet, divisez les
pattes en deux. Faites deux entailles dans la partie la plus
charnue de chaque morceau à l'aide d'un couteau pointu.
Cela permettra une meilleure absorption de la marinade et
une meilleure cuisson de la viande.

2 Mélangez les ingrédients de la marinade dans une jatte
en battant. Mettez-y les morceaux de poulet et mélangez
pour bien les enrober de marinade. Couvrez le récipient
avec du film plastique et réfrigérez pendant 4 à 8 h en
retournant les morceaux de poulet de temps en temps.

3 Préparez le barbecue. Une fois que les charbons sont
prêts, sortez les morceaux de poulet de la marinade
et placez-les sur le gril. Mettez les morceaux de poivron
et les tomates dans la marinade et réservez 15 min.
Faites griller les morceaux de poulet 20 à 25 min.
Surveillez-les bien et écartez-les de la chaleur dès qu'ils
commencent à brûler.

4 Retournez les morceaux de poulet et faites-les cuire à
nouveau 20 à 25 min. Parallèlement, enfilez les poivrons
sur 2 longues brochettes en métal. Placez-les sur le gril
du barbecue en même temps que les tomates et laissez-
les y pendant les dernières 15 min de cuisson. Surveillez
et retournez au moins une fois. Servez avec des quartiers
de citron.

CUISSON À L'INTÉRIEUR

Vous pouvez aussi faire cuire le poulet et les autres
ingrédients sous le gril de votre four. Réglez-le au point
le plus chaud, mais ne mettez pas la viande trop près
de la source de chaleur. La cuisson prendra sans doute
moins de temps qu'au barbecue – environ 15 min
de chaque côté.

Pour 4 personnes

700 g d'escalopes de veau
40 g de farine
9 cl d'huile d'olive vierge extra
1 petit oignon émincé
3 gousses d'ail hachées menu
2 à 3 feuilles de sauge fraîche hachées menu
1 verre de vin blanc (environ 17 cl)
1/2 citron pressé
45 cl de bouillon de bœuf ou de poulet
2 cuil. à soupe de persil à feuilles plates
   frais haché
sel et poivre noir moulu

Escalopes de veau de Corfou
sofrito

Ce plat est très apprécié dans l'île de Corfou.
Nous le devons au passé vénitien de l'île et n'a été
introduit en Grèce que tout récemment, à la suite
d'un concours culinaire télévisé. Servez le sofrito
avec une purée de pommes de terre ou des pommes
de terre nouvelles bouillies et une salade.

1 Salez et poivrez les escalopes de veau, puis farinez-les
légèrement.

2 Faites chauffer l'huile d'olive dans une grande poêle à
frire à feu moyen. Mettez les escalopes à dorer des deux
côtés. Une fois dorées, retirez-les et placez-les dans une
large cocotte.

3 Mettez l'oignon dans la poêle et faites-le fondre, puis
ajoutez l'ail haché et la sauge. Dès que l'ail exhale son
parfum, versez le vin et le jus de citron. Augmentez le feu
et faites cuire en remuant constamment et en grattant le
fond de la poêle de temps en temps pour incorporer les
sédiments au jus.

4 Transférez ce jus sur la viande dans la cocotte et ajoutez le bouillon. Salez et poivrez à votre goût, puis ajoutez
le persil haché.

5 Portez à ébullition, baissez le feu, couvrez et laissez
mijoter 45 à 50 min. Servez sans attendre.

POUR ATTENDRIR LA VIANDE
Les escalopes sont de fines tranches de veau découpées
dans la cuisse. Si elles sont trop épaisses, on peut les
placer entre des feuilles de film plastique et les battre
avec un maillet à viande. Pour cette recette, on peut
aussi utiliser de la viande de porc.

Pour 6 personnes

1 épaule d'agneau dégraissée et découpée
600 g de tomates fraîches pelées et hachées
    ou 400 g d'olivettes concassées en boîte
4 à 5 gousses d'ail hachées
8 cl d'huile d'olive vierge extra
1 cuil. à café d'origan séché
400 g de pâtes, *orzo* ou spaghettis coupés
    en segments courts
sel et poivre noir moulu
50 g de *kefalotyri* ou de parmesan râpé,
    pour servir

Agneau cuit au four avec tomates, ail et pâtes

arnaki yiouvetsi

Le yiouvetsi d'agneau est un mets très spécial en Grèce. C'est l'un des plats les plus populaires, et on le sert souvent pour les déjeuners de fête en famille le 15 août, après la longue période de jeûne.

Cette date est importante dans le calendrier orthodoxe grec car elle célèbre l'ascension de la Vierge Marie. Elle a un sens tout particulier pour les personnes qui se prénomment Maria, Despoina, Panagiota ou Panagiotis – autant de prénoms très courants en Grèce –, car elles ont leur fête ce jour-là. Comme il y a au moins une Marie dans chaque famille, cette date est donc très importante !

1 Préchauffez le four à 200 °C (th. 7). Rincez la viande pour retirer les éclats d'os et mettez-la dans un grand plat à rôtir.

2 Ajoutez les tomates fraîches ou en boîte en même temps que l'ail, l'huile d'olive et l'origan. Salez, poivrez et versez 30 cl d'eau chaude.

3 Mettez l'agneau au four et cuisez pendant 1 h 10 en arrosant avec le jus et en retournant les morceaux de viande deux fois.

4 Ramenez la température du four à 180 °C (th. 6). Ajoutez 70 cl d'eau chaude dans le plat à rôtir. Incorporez les pâtes et assaisonnez à nouveau. Mélangez bien, remettez le plat à rôtir au four pendant 30 à 40 min en remuant de temps en temps.

5 Servez l'agneau immédiatement accompagné d'un bol de *kefalotyri* ou de parmesan râpé.

SERVEZ AVEC UN ACCOMPAGNEMENT FRAIS
Le yiouvetsi est un plat très riche ; il est donc essentiel de le servir avec une salade pour rafraîchir le palais.

VARIANTES
Si possible, utilisez des tomates mûries au soleil, car leur saveur fait toute la différence. On peut également utiliser de la viande de chevreau ou de bœuf pour cette recette, mais il faut d'abord la faire bouillir.

Pour 4 personnes

1 petite épaule d'agneau désossée
  et dégraissée
2 à 3 oignons, de préférence rouges,
  coupés en quatre
2 poivrons rouges ou verts coupés en quatre
  et épépinés
8 cl d'huile d'olive vierge extra
1 citron pressé
2 gousses d'ail écrasées
1 cuil. à café d'origan séché
1/2 cuil. à café de thym séché ou quelques
  brins de thym frais haché
sel et poivre noir moulu

Brochettes d'agneau grillé

arni souvlakia

Quand j'étais petite, à Athènes, les brochettes d'agneau grillé étaient la nourriture des rues par excellence. Après une journée torride, c'était un vrai plaisir d'aller le soir jusqu'à l'échoppe du coin pour acheter des souvlakis. Nous les mangions debout sur le trottoir, baignant dans l'odeur alléchante de l'agneau cuit au barbecue.

L'agneau fait les meilleurs souvlakis, mais en Grèce on le remplace de plus en plus souvent par de la viande de porc, moins coûteuse. Malheureusement, le goût n'est pas le même, car rien n'égale la saveur de l'agneau cuit au barbecue.

Les souvlakis sont délicieux servis avec du *tzatziki,* une généreuse salade de tomates et du pain grillé au barbecue.

1 Demandez à votre boucher de préparer la viande et de la couper en dés de 4 cm. Il faut laisser un peu de gras pour empêcher les souvlakis de se dessécher et leur donner du goût. Défaites les quartiers d'oignon en morceaux de trois couches chacun et coupez chaque quart de poivron en deux dans le sens de la largeur.

2 Mettez l'huile, le jus de citron, l'ail et les herbes dans un grand récipient creux. Salez, poivrez et fouettez pour mélanger. Ajoutez les dés de viande en remuant bien.

3 Couvrez le récipient hermétiquement et laissez mariner 4 à 8 h au réfrigérateur en remuant plusieurs fois.

4 Sortez les dés de viande de la marinade et mettez celle-ci de côté. Enfilez les morceaux de viande sur de longues brochettes de métal en les alternant avec un morceau de poivron et un morceau d'oignon. Posez les brochettes en travers du plat à gril ou à four et badigeonnez-les avec la marinade.

5 Préchauffez un gril ou préparez le barbecue. Faites cuire les souvlakis à feu moyen ou fort ou au-dessus des charbons chauds pendant 10 min. Si vous utilisez le gril, ne les placez pas trop près de la source de chaleur. Retournez les brochettes, badigeonnez-les à nouveau avec la marinade (ou avec un peu d'huile d'olive) et faites cuire encore 10 à 15 min. Servez immédiatement.

VÉRIFIEZ LE TEMPS DE CUISSON

Si vous faites cuire les souvlakis au barbecue, il vous faudra adapter le temps de cuisson suivant l'intensité de la chaleur.

VARIANTE

Vous pouvez utiliser 4 ou 5 filets dans le collier à la place de l'épaule d'agneau.

Pour 4 personnes

1 kg de viande pour ragoût de bonne qualité
   ou steak d'aloyau coupé en 4 morceaux
   épais
6 cl d'huile d'olive vierge extra
1 oignon haché
1/2 cuil. à café d'origan séché
2 gousses d'ail écrasées
1 verre de vin blanc (environ 17 cl)
400 g de tomates en conserve hachées
2 à 3 aubergines d'un poids total de 700 g
15 cl d'huile de tournesol
3 cuil. à soupe de persil frais haché menu
sel et poivre noir moulu

Fricassée de bœuf et d'aubergines

melitzanes me kreas

Facile à préparer malgré ses saveurs exotiques, ce mets est un plat principal idéal pour un dîner. Utilisez de la viande de bœuf de première qualité et faites-la cuire lentement de façon qu'elle devienne fondante et savoureuse.

1 Faites chauffer l'huile d'olive dans une grande casserole et faites dorer les morceaux de viande des deux côtés, puis réservez-les sur une assiette.

2 Mettez l'oignon haché dans l'huile qui reste au fond la casserole et faites-le fondre. Ajoutez l'origan et l'ail, puis, dès que l'ail exhale son parfum, remettez la viande dans la casserole et versez le vin par-dessus. Laissez le vin mijoter et s'évaporer pendant quelques minutes, puis ajoutez les tomates et recouvrez d'eau. Portez à ébullition, baissez le feu, couvrez et laissez cuire pendant 1 h ou un peu plus.

3 Pendant ce temps, coupez l'extrémité des aubergines et détaillez-les en rondelles de 2 cm d'épaisseur, puis coupez chaque rondelle en deux. Faites chauffer l'huile de tournesol et faites griller les aubergines dedans quelques secondes à feu vif en les retournant une fois. Elles n'ont pas besoin de cuire à ce stade et ne doivent surtout pas brûler. Sortez-les et égouttez-les sur un plateau garni d'essuie-tout. Assaisonnez.

4 Lorsque la viande est suffisamment tendre, assaisonnez-la, puis ajoutez les aubergines et tournez la casserole pour les répartir de façon égale. À partir de ce moment, ne remuez plus le mélange, car les aubergines sont très fragiles. Ajoutez un peu d'eau chaude de façon qu'elles soient bien enrobées de sauce, couvrez et laissez mijoter 30 min. Parsemez de persil et laissez mijoter quelques minutes de plus avant de servir avec de la pitta grillée.

Pour 10 à 12 personnes

150 g de beurre doux
110 g de sucre en poudre très fin
4 œufs (blancs et jaunes séparés)
6 cl de cognac
1/2 cuil. à café de cannelle moulue
300 g de noix décortiquées
150 g de farine
1 cuil. à café de levure chimique
sel

Pour le sirop
250 g de sucre en poudre
3 cl de cognac
2 à 3 lanières d'écorce d'orange
2 bâtons de cannelle

Gâteau aux noix

karythopitta

Ce succulent gâteau est le meilleur de tous les desserts grecs. Sa douce texture miellée associée à la douceur des noix le rend irrésistible.

Dans les îles, on le prépare traditionnellement pour les jours de fête. Idéal pour les grandes réceptions, ce gâteau est encore meilleur le lendemain du jour où il a été préparé.

1 Préchauffez le four à 190 °C (th. 6). Graissez un plat à rôtir ou un moule à gâteau de 35 × 23 cm et d'au moins 5 cm de profondeur. Écrasez le beurre dans une jatte, ajoutez le sucre et battez jusqu'à ce que le mélange devienne mousseux.

2 Ajoutez les jaunes d'œufs en battant. Incorporez le cognac et la cannelle. Hachez les noix dans un robot et mettez-les dans la mixture. Mélangez à l'aide d'une cuillère en bois.

3 Mélangez la farine et la levure chimique et réservez. Battez les blancs d'œufs au mixer avec une pincée de sel jusqu'à ce qu'ils deviennent neigeux. Incorporez-les au mélange crémeux en alternant avec des cuillerées à soupe de farine.

4 Étalez le mélange de façon égale dans le plat préparé jusqu'à une hauteur d'environ 4 cm. Faites cuire au four 40 min jusqu'à ce que le dessus soit doré. Sortez le gâteau du four et laissez reposer pendant que vous préparez le sirop.

5 Pour le sirop, mélangez le sucre avec 30 cl d'eau dans une petite casserole. Faites chauffer à feu doux en remuant jusqu'à ce que le sucre soit dissous. Portez à ébullition, baissez le feu et ajoutez le cognac, l'écorce d'orange et les bâtons de cannelle. Laissez mijoter 10 min.

6 Coupez la karythopitta en losanges ou en carrés de 6 cm pendant qu'elle est chaude et répandez lentement le sirop par-dessus. Laissez reposer 10 à 20 min jusqu'à ce que le gâteau ait absorbé tout le sirop et soit complètement imbibé.

POUR LE CONSERVER ET LE SERVIR

La karythopitta se conserve parfaitement pendant 2 ou 3 jours à condition d'être recouvert d'un film plastique. Ce gâteau n'a pas besoin d'être mis au réfrigérateur, sauf s'il fait très chaud. Traditionnellement, on le sert accompagné d'une tasse de café ou d'un petit verre de cognac.

L'automne

De délicieux pignons, des coings dorés
et des olives vertes fraîches bien mûres

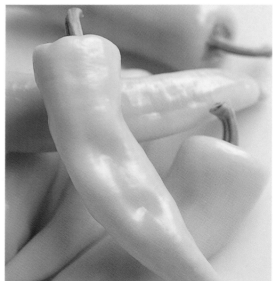

À la fin du mois d'août, quand le soleil commence à perdre un peu de son éclat, le premier signe annonciateur de l'automne est le silence soudain, étrange, qui règne dans les oliveraies. lorsque les cigales se taisent. Après la saison des excès vient la saison de la maturité et de la douceur. La cuisine déserte le jardin et retourne dans la maison à mesure que les jours raccourcissent et que l'on range les barbecues jusqu'au printemps suivant.

Pourtant, la fête n'est pas terminée, car septembre est le mois du thon, déchargé partout sur les quais des îles. C'est à ce moment-là que ce poisson est le meilleur et le moins cher, et bientôt, dans tous les foyers, on l'accommode avec des pommes de terre, des tomates et de l'ail.

Les premières olives vertes sont récoltées au début de l'automne ; elles sont vite fendillées et salées, car les Grecs adorent leur goût rafraîchissant. Ils aiment aussi les grenades, et bravent volontiers les épines du grenadier pour cueillir leurs fruits écarlates très juteux.

Septembre est le mois du *spetzofai* – spécialité du Pélion faite de poivrons verts allongés et de saucisses à l'ail. Les poivrons interviennent aussi dans la préparation du *briami,* un délicieux plat de courgettes, de pommes de terre, d'ail et de tomates cuit au four.

À la fin du mois de septembre, les premiers *gigantes* – haricots secs géants utilisés dans de nombreux plats d'hiver – emplissent les étals. Les soirées devenant plus fraîches, la soupe revient au menu. La soupe de poulet a beaucoup de succès en cette saison. Le vendredi, on sert de la soupe de lentilles. La vie s'est retranchée à l'intérieur, et la cuisine s'adapte au changement.

À la fin du mois d'octobre, la vraie récolte des olives commence, et les montagnes résonnent du bavardage et des rires des cueilleurs. Des familles entières se rassemblent sous les oliviers autour de la récolte dont on tirera la nouvelle huile fraîche et légèrement poivrée de la saison. Après les premières pluies, on récolte les « verdures » *(horta)* qui poussent à l'état sauvage à flanc de montagne. Les Grecs en raffolent et consomment toutes sortes de feuilles sauvages préparées de diverses manières. Elles sont particulièrement appréciées légèrement bouillies et assaisonnées avec de l'huile d'olive verte fruitée et du jus de citron. Dans les boutiques et sur les marchés, on vend également de la verdure cultivée ; la préparation est exactement la même. La *horta* représente une partie importante de la diète d'automne et d'hiver des Grecs.

Quand le fond de l'air se rafraîchit, l'on commence à faire les premiers ragoûts. Les viandes mélangées aux *cannellini* (haricots) mijotent doucement sur les cuisinières, répandant un arôme chaleureux dans les maisons, le soir.

Page ci-contre
Quelques ingrédients d'automne, dans le sens des aiguilles d'une montre à partir du haut à gauche : roquette poivrée ; poivrons allongés ; poule au pot prête pour l'*avgolemono* ; saucisses fraîches ; *gigantes* (haricots géants) cuits avec des oignons, des tomates et du persil.

Ci-contre
Une petite motocyclette croule sous des bouquets de persil plat frais que l'on apporte au marché de Chania, en Crète.

Un dernier éclat d'or illumine la fin de l'année : les cognassiers ont perdu leurs feuilles, découvrant les énormes fruits dorés qui pendent à leurs branches. Lorsque j'étais enfant, nous mangions les coings crus. Ma grand-mère les râpait et les saupoudrait de sucre et de cannelle, ce qui était presque aussi bon que le *pastokythoon*, la pâte de coing que les marchands ambulants vendaient à l'automne dans les rues d'Athènes. Les coings ont un parfum et un goût merveilleux, et ils font de délicieuses fricassées cuits au four avec de l'agneau ou du bœuf pour le déjeuner dominical ; on peut aussi en faire de succulentes confitures en prévision des mois d'hiver.

Même si, comme toutes les grandes métropoles, Athènes peut satisfaire à tous les goûts culinaires avec son approvisionnement constant de produits importés des quatre coins du monde, les produits locaux jouent encore un rôle très important – on peut le constater dès que l'on fait ses courses en dehors des grandes surfaces –, et chaque saison apporte de nouveaux délices. Voici quelques-uns des trésors de l'automne.

Les citrons

Comme les autres agrumes, le citron est originaire du Sud-Est asiatique et a été introduit en Grèce vers la fin du IIIe siècle avant J.-C. Les Grecs en raffolent – une cuisine grecque sans citron serait une aberration – et, dès que c'est possible, ils plantent un citronnier dans leur jardin. On arrose presque tous les plats de jus de citron, mais il sert surtout à assaisonner les salades, mélangé à de l'huile d'olive, ou à des œufs pour le classique *avgolemono*.

Les coings

Avec leurs feuilles rondes et argentées et leurs grosses fleurs roses, les cognassiers *(Cydonia oblonga)* sont superbes au printemps, mais en octobre, quand seuls les fruits dorés restent accrochés aux branches dénudées, ils offrent un spectacle enchanteur. Les coings ressemblent un peu à des pommes allongées et peuvent être aussi gros que des melons. Ils sont difficiles à ouvrir. Lorsqu'on les fait cuire, leur chair prend une délicate teinte rosée.

Ci-contre
Protégés par une peau dorée et caractérisés par un parfum et un goût merveilleux, les coings peuvent servir à préparer des plats salés aussi bien que sucrés.

Ci-dessus
Les Grecs adorent le citron et arrosent presque tous les plats de son jus. Ils s'en servent aussi pour les assaisonnements de salades et pour les sauces.

AVGOLEMONO

Cette sauce à l'œuf et au citron est à la base de la cuisine grecque et donne un goût unique aux plats dans lesquels on l'utilise. Voici une recette très simple pour quatre personnes :

• Battez 2 gros œufs à température ambiante dans un bol, puis incorporez le jus d'1 ou 2 citrons pressés et 1 cuillerée à café de farine de maïs mélangée avec un peu d'eau.
• Ajoutez une louche de soupe chaude (ou de bouillon) et battez pendant 1 min.

• Continuez à battre le mélange à base d'œufs tout en ajoutant progressivement une deuxième louche de liquide chaud, puis versez peu à peu le contenu du bol dans la soupe en remuant vigoureusement sans interruption.
• Réchauffez le mélange à feu doux pendant 1 à 2 min, mais pas plus. Si vous le réchauffez trop longtemps, les œufs risquent de se cailler, même si le mélange à base de farine de maïs aide à stabiliser la sauce. Salez à votre goût avant de servir.

Le persil plat

Le persil est originaire de l'est de la Méditerranée et était couramment utilisé dans la Grèce et la Rome antiques, où l'on s'en servait également pour confectionner des couronnes destinées aux athlètes. Les herbes comme l'origan et le thym sont plus précisément assimilées à la cuisine grecque, mais le persil est en fait l'herbe fraîche la plus couramment employée. La variété à feuilles plates, au goût plus marqué, est utilisée tout au long de l'année. Haché, le persil sert à agrémenter les salades de tomates ou de chou coupé en lanières. Indispensable pour les soupes aux lentilles ou aux haricots, il est également associé à la sauge et aux épices pour parfumer les croquettes de pois cassés. Le persil est un ingrédient essentiel pour les plats de légumes comme le *briami* (timbale de courgettes et de pommes de terre cuites au four) et les *dolmathes* (feuilles de vigne farcies).

Ci-dessus
Le persil plat est l'herbe la plus couramment utilisée dans la cuisine grecque. Il entre dans la composition de nombreux plats, dont le *briami*.

La roquette

En Grèce, la roquette est appelée *roka*. Ses feuilles dentelées vertes ont un délicieux goût poivré. La roquette pousse comme de la mauvaise herbe, mais elle monte vite en graines et doit être cueillie jeune. Les feuilles tendres sont souvent servies entières, parfois avec des petits radis rouges ou des tranches de feta.

Le plus souvent, la roquette se mange en salade, mélangée à de la romaine. Il faut jeter les tiges les plus dures. On met aussi de la roquette dans des salades comportant d'autres ingrédients, comme la salade de pommes de terre, et elle peut servir à relever des plats un peu fades.

Les pignons

Ce sont les graines des cônes d'une variété de pin *(Pinus pinea)*, natif des régions méditerranéennes. Elles ont un goût doux et crémeux qui sert à agrémenter toutes sortes de plats.

Ci-dessus
La roquette *(Arugula)* se mange en salade, mélangée à de la romaine.

Ci-contre
Les olives violettes de Kalamata ont un petit goût de vinaigre de vin rouge.

Les olives

S'il y a un arbre que l'on associe instantanément à la Grèce, c'est bien l'olivier *(Olea europaea)*. Olives et huile d'olive étaient des aliments de base dans la Grèce antique, et ce sont les marins grecs qui ont introduit l'olivier en Italie, en Espagne et en Provence.

Les olives qui viennent d'être cueillies sont immangeables car elles sont terriblement amères. Avant leur préparation pour la table, elles doivent être fendillées et mises à tremper dans de l'eau froide. L'eau doit être changée chaque jour pendant 10 à 15 jours, après quoi elles perdent leur amertume et sont prêtes à être conservées dans la saumure ou dans l'huile, souvent avec des épices ou des aromates.

Les olives de Kalamata comptent parmi les meilleures olives grecques. Juteuses et très goûteuses, elles ont la peau violette et un goût qui évoque le vinaigre de vin rouge dans lequel on les conserve. Les olives noires, qui sont le fruit mûr, poussent dans toute la Grèce. Les plus communes sont petites et ridées et peuvent être un peu salées, mais les grosses olives noires d'Amphissa ont beaucoup de saveur. Les Grecs adorent les olives vertes en raison de leur goût très frais.

L'huile d'olive

La Grèce est le troisième producteur mondial d'huile d'olive vierge extra, après l'Espagne et l'Italie. Elle produit une huile d'olive délicieuse à des prix très compétitifs. Les Grecs consomment plus d'huile d'olive par habitant que tous les autres peuples – 20 litres par an.

L'huile d'olive grecque possède à la fois la couleur – or vert – et le goût du fruit. Parmi les meilleures huiles d'olive grecques figure l'huile vierge extra pressée à froid appelée Mani, à base d'olives Koroneiki, dans la région sauvage du sud du Péloponnèse. Il en existe une version bio, qui est superbe et coûte beaucoup moins cher que les autres produits du même type. Essayez aussi l'Iliada, également du Péloponnèse. L'huile d'olive crétoise est délicieuse, surtout celle qui est commercialisée par la coopérative de Kolymbari.

La feta

La feta grecque est un fromage frais d'un blanc éclatant, à base de lait de chèvre ou de brebis. La texture est molle mais assez ferme pour être coupée en dés. La feta est conservée dans la saumure et doit avoir un goût légèrement salé, avec un arrière-goût très fort.

En Grèce, on sert de la feta du petit déjeuner au dîner, avec des aliments sucrés aussi bien que salés. Elle joue un rôle important dans la salade *horiatiki,* où elle accompagne des tomates, du concombre, de l'oignon et des olives, mais on peut aussi la servir avec des tranches de pastèque ou des figues juteuses. Coupée en dés, la feta se déguste avec le *karafaki,* un petit verre d'*ouzo,* le célèbre apéritif grec au goût d'anis.

La feta s'utilise également écrasée avec des épinards et des courgettes *(zucchini)* pour farcir des tartes, en automne.

Ci-contre en haut
L'huile d'olive jaune-vert est très utilisée dans la cuisine grecque, des rôtis et légumes aux sauces de salades et aux marinades.

Ci-contre au centre
La feta doit être salée, parfaitement blanche et s'émietter facilement.

Ci-contre en bas
Les pignons mélangés à des amandes et de la semoule servent à confectionner de délicieuses pâtisseries.

Pour 12 à 14 demi-lunes

1 gros œuf, plus 1 jaune pour glacer
150 g de feta
3 cl de lait
2 cuil. à soupe de feuilles de menthe fraîche
   hachées
1 cuil. à soupe de raisins secs
1 cuil. à soupe de pignons légèrement grillés
un peu d'huile végétale pour graisser

Pour la pâte
225 g de farine
5 cl d'huile d'olive vierge extra
15 g de beurre fondu
90 g de yoghourt à la grecque

Demi-lunes à la feta, aux pignons et aux raisins secs

skaltsounakia

Ces délicieuses demi-lunes font grande impression. En Crète, il en existe plusieurs variantes, dont celles fourrées aux feuilles sauvages. Les skaltsounakia sont servies avec des rafraîchissements ou d'autres *mezethes*.

1 Pour la pâte, mettez la farine dans une jatte et incorporez à la main l'huile, le beurre et le yoghourt. Couvrez et laissez reposer au réfrigérateur 15 min.

2 Pendant ce temps, préparez la garniture. Battez légèrement l'œuf dans une jatte. Émiettez la feta dedans, puis incorporez le lait, la menthe, les raisins secs et les pignons.

3 Préchauffez le four à 190 °C (th. 6). Étendez la moitié de la pâte en couche mince et découpez-la en disques de 7,5 cm de diamètre.

4 Mettez 1 bonne cuillerée de garniture sur chaque rond et repliez la pâte en formant une demi-lune. Appuyez sur les bords pour fermer, puis posez sur une plaque à pâtisserie graissée. Répétez l'opération avec le reste de la pâte. Badigeonnez de jaune d'œuf et faites cuire au four 20 min.

Pour 4 personnes

1 poivron allongé jaune ou vert
1 à 2 piments verts frais
200 g de feta coupée en dés
6 cl d'huile d'olive vierge extra
1 citron pressé
5 cl de lait
poivre noir moulu
un peu de persil plat frais haché menu,
  pour garnir
tranches de pain grillé, pour servir

Crème à la feta, aux poivrons rôtis et aux piments

htipiti

Cette crème est une spécialité de Thessalonique. Si vous vous arrêtez pour boire un *ouzo* à Lathathika, qui jadis faisait partie du vieux marché mais qui est devenu un lieu branché, avec bars et restaurants, on vous servira inévitablement une petite assiette de htipiti. C'est pratiquement le seul endroit en Grèce où l'on connaisse cette crème. Cette recette me vient de mon beau-frère, Kostas Printzios, originaire de Thessalonique.

1 Enfilez le poivron et les piments sur des brochettes de métal et faites-les griller au-dessus des flammes ou sous le gril. Ils doivent être calcinés.

2 Réservez-les et attendez qu'ils refroidissent, puis pelez-les et frottez les parties carbonisées avec de l'essuie-tout pour les enlever. Ouvrez-les et retirez les graines et la tige.

3 Mettez la chair du poivron et des piments dans un robot. Ajoutez tous les autres ingrédients, sauf le persil, et mixez en ajoutant un peu de lait si le mélange devient trop épais. Tartinez sur des morceaux de pain grillé, parsemez de persil et servez.

Pour 4 personnes

300 g de pois chiches ayant trempé dans
    de l'eau toute une nuit
10 cl d'huile d'olive vierge extra
2 gros oignons hachés
1 cuil. à soupe de cumin moulu
2 gousses d'ail écrasées
3 à 4 feuilles de sauge fraîche hachées
3 cuil. à soupe de persil plat frais haché
1 gros œuf légèrement battu
70 g de farine
radis, roquette et olives,
    en accompagnement

Croquettes de pois chiches
revythokeftethes

Voici un *meze* frugal typique de ce que l'on peut
trouver sur les tables grecques. Les croquettes
ne coûtent pas cher à préparer et sont très
appétissantes.

Pour un repas végétarien original, vous pouvez les
servir avec du chou-fleur assaisonné d'une sauce
au citron et à l'œuf, ou avec des épinards au riz
et à l'aneth. Les croquettes de pois chiches peuvent
également être servies avec des rafraîchissements
ou avec d'autres *mezethes*. On les accompagne
traditionnellement de radis, de roquette et d'olives.

1 Égouttez les pois chiches, rincez-les sous l'eau froide
et égouttez à nouveau. Versez-les dans une grande casserole, couvrez d'eau froide et portez à ébullition. Écumez
la surface à l'aide d'une écumoire jusqu'à ce que le liquide
soit clair.

2 Couvrez et cuisez 1 h 15 à 1 h 30. Sinon (et c'est là la
meilleure méthode), faites-les cuire dans une Cocotte-
Minute à pleine pression 20 à 25 min. Une fois que les
pois chiches sont cuits, égouttez-les et gardez un peu
de liquide. Versez-les dans un robot, ajoutez 3 à 5 cl du
liquide et mixez jusqu'à obtention d'une purée veloutée.

3 Faites chauffer 5 cl d'huile d'olive dans une grande
poêle à frire, mettez les oignons à fondre. Ajoutez le cumin
et l'ail et faites revenir pendant quelques secondes.
Incorporez les feuilles de sauge et le persil hachés.
Réservez.

4 Mettez la purée de pois chiches dans une jatte et
ajoutez l'œuf, 20 g de farine, l'oignon frit et la préparation
à base d'herbes. Salez, poivrez généreusement et mélangez bien. Prélevez des morceaux de mixture de la taille
d'une noix et aplatissez-les de façon à en faire des sortes
de mini hamburgers ronds.

5 Farinez légèrement les croquettes. Faites chauffer le
reste de l'huile d'olive dans une grande poêle à frire et
faites-les dorer des deux côtés. Égouttez sur de l'essuie-
tout et servez chaud avec des radis, de la roquette et
des olives.

POUR PÉTRIR PLUS FACILEMENT
Farinez-vous les mains lorsque vous pétrissez
les croquettes pour les empêcher de coller.

Pour 4 à 6 personnes

1 poulet d'1,6 kg
2 oignons coupés en deux
2 carottes
3 bâtons de céleri coupés chacun en
   3 à 4 morceaux
quelques brins de persil plat frais
3 à 4 grains de poivre noir
50 g de riz à grains courts
sel

Pour la sauce à l'œuf et au citron
1 cuil. à café de farine de maïs
2 gros œufs à température ambiante
1 ou 2 citrons pressé(s)

Soupe de poulet avec sauce à l'œuf et au citron

kotopoulo soupa avgolemono

L'avgolemono est l'une des soupes les plus nourrissantes et les plus savoureuses du monde. Elle m'emplit de nostalgie, car elle me rappelle les déjeuners d'automne dans ma famille à Athènes, où nous en mangions d'énormes quantités. Son arôme délicieux diffuse une note de gaieté durant la journée, et elle constitue un véritable repas en soi.

1 Mettez le poulet dans une grande casserole avec 1,8 litre d'eau. Portez à ébullition et écumez à l'aide d'une écumoire. Ajoutez les légumes, le persil et les grains de poivre noir, salez et portez à ébullition. Baissez un peu le feu, puis couvrez et laissez cuire 1 h (ou plus, suivant la sorte de poulet que vous utilisez).

2 Sortez le poulet de la casserole et posez-le sur une planche. Filtrez le bouillon et réservez-le, mais jetez les légumes. Détachez les blancs de poulet, retirez la peau et coupez la chair en dés. Répétez l'opération avec les cuisses. Remettez le bouillon dans la casserole et ajoutez la chair de poulet.

3 Peu avant de servir, réchauffez le bouillon et la viande. Dès que le bouillon commence à bouillir, versez-y le riz.

4 Couvrez la casserole et faites cuire 8 min. Retirez la casserole du feu et laissez la soupe refroidir un peu avant d'ajouter la sauce.

5 Pour préparer la sauce, mélangez la farine de maïs avec un peu d'eau. Battez les œufs dans une jatte, ajoutez le jus de citron et le mélange à base de farine de maïs, puis battez jusqu'à obtention d'un mélange homogène. Incorporez graduellement une louche de bouillon dans cette préparation, puis continuez à battre pendant 1 min. Ajoutez une deuxième louche de la même façon. La sauce étant tiède, versez-la lentement dans la soupe et mélangez énergiquement.

6 Réchauffez la soupe à feu doux 1 à 2 min, mais pas plus, sans quoi les œufs se cailleraient. Servez sans attendre en faisant passer une assiette de quartiers de citron pour ceux qui le souhaitent.

CHOISISSEZ LE BON POULET

La soupe aura beaucoup plus de goût si vous utilisez une volaille à bouillir ou un gros poulet bio. La soupe de poulet (sans le riz) peut être préparée un jour à l'avance. Mettez-la au réfrigérateur dans un récipient couvert.

Pour 4 personnes

275 g de lentilles vertes
15 cl d'huile d'olive vierge extra
1 oignon émincé
2 gousses d'ail coupées en minces bâtons
1 carotte coupée en rondelles
400 g de tomates concassées en boîte
1 cuil. à soupe de purée de tomates
1/2 cuil. à café d'origan séché
sel et poivre noir moulu
2 cuil. à soupe d'herbes fraîches hachées,
   pour garnir

Soupe aux lentilles
faki soupa

En Grèce, à l'automne, les lentilles sont un aliment de base tout à fait délicieux. Comme il n'est pas nécessaire de les faire tremper, on peut préparer un repas rapidement. Le secret d'une bonne soupe aux lentilles réside dans l'utilisation généreuse d'huile d'olive.

Cette soupe fait office de repas principal, accompagnée d'olives, de pain et de fromage ou, pour les grandes occasions, de calmar frit ou de *keftethes* (voir p. 130).

1 Rincez les lentilles, égouttez-les et mettez-les dans une grande casserole d'eau froide. Portez à ébullition et laissez bouillir 3 à 4 min. Égouttez, jetez le liquide et réservez les lentilles.

2 Faites chauffer l'huile d'olive dans une grande casserole, puis mettez l'oignon à fondre. Incorporez l'ail, laissez revenir, puis remettez les lentilles dans la casserole. Ajoutez la carotte, les tomates, la purée de tomates et l'origan. Versez 1 litre d'eau chaude et poivrez à votre goût.

3 Portez à ébullition, baissez le feu, couvrez et laissez cuire à feu doux pendant 20 à 30 min. Salez et parsemez d'herbes hachées juste avant de servir.

Pour 4 personnes

500 g de viande de bœuf ou d'agneau haché
1 oignon râpé
1 œuf légèrement battu
50 g de riz à grains courts
3 cuil. à soupe de persil plat frais haché
écorce d'1/2 orange râpée, plus un peu
    pour garnir (facultatif)
sel et poivre noir moulu

Pour la sauce
6 cl d'huile d'olive vierge extra
1 oignon émincé
3 à 4 feuilles de sauge fraîche coupées
    en lamelles fines
400 g de tomates entières pelées en boîte
30 cl de bouillon de bœuf

Boulettes de viande à la sauce tomate

yiouvarlakia

Voici un plat complet très pratique et facile
à préparer. Il en existe différentes versions,
mais en automne je préfère celle qui est
accompagnée de sauce tomate en raison
de son petit goût estival.

1 Mettez la viande dans une jatte et ajoutez
l'oignon, l'œuf, le riz et le persil. Ajoutez l'écorce
d'orange râpée, salez et poivrez. Mélangez bien
tous les ingrédients, puis pétrissez en forme de
boulettes ou de petites saucisses.

2 Préparez la sauce. Faites chauffer l'huile dans une
poêle suffisamment grande pour contenir toutes les
boulettes de viande en une seule couche. Faites
fondre les oignons. Ajoutez la sauge, puis les
tomates en les coupant avec une cuillère en bois.

3 Laissez mijoter pendant quelques minutes, puis
ajoutez le bouillon et portez à ébullition. Plongez
doucement les boulettes dans la sauce. Faites
tourner la poêle pour enrober de sauce. Assaisonnez, puis couvrez la casserole et laissez mijoter
30 min. Garnissez d'un peu d'écorce d'orange, si
vous le souhaitez. Servez avec beaucoup de pain
croustillant pour saucer.

Pour 4 personnes

225 g de pois cassés jaunes
1 oignon haché menu
4 calmars de taille moyenne (poids total d'1 kg)
50 g de farine
8 cl d'huile d'olive ou d'huile de tournesol
2 à 3 échalotes hachées menu
8 cl d'huile d'olive vierge extra
1/2 citron pressé
sel et poivre noir moulu
1 cuil. à soupe de persil frais haché menu,
    pour garnir

Purée de pois cassés aux calmars frits

fava me kalamarakia

Les Grecs ont longtemps délaissé ce plat, car il leur rappelait la Seconde Guerre mondiale et les années difficiles qui ont suivi. Cependant, ces dix dernières années, ce plat a connu un regain de popularité, et la fava figure désormais au menu de la plupart des restaurants. Elle est traditionnellement servie avec des oignons et du persil hachés et un filet d'huile d'olive, mais dans cette recette je l'accompagne de calmars sautés.

1 Faites tremper les pois cassés dans de l'eau froide pendant 1 h. Versez dans une passoire, rincez plusieurs fois, puis égouttez et mettez dans une grande casserole à fond épais. Ajoutez 1,5 litre d'eau. Portez à ébullition et écumez à l'aide d'une écumoire.

2 Ajoutez l'oignon haché et laissez mijoter sans couvrir pendant 1 heure ou plus, en remuant de temps en temps. Vers la fin de la cuisson, surveillez bien, car le mélange risque de coller. Une fois cuits, les pois doivent être tendres et humides. Salez à votre goût.

3 Parallèlement, préparez les calmars en vous reportant aux instructions figurant p. 129. Laissez les corps intacts. Rincez soigneusement, à l'intérieur comme à l'extérieur, et égouttez bien.

4 Salez et poivrez la farine, puis farinez les calmars.

5 Réduisez le mélange à base de pois en purée dans un robot pendant qu'il est chaud car il se solidifiera en refroidissant. La purée doit être lisse et avoir la consistance d'une crème épaisse.

6 Faites chauffer l'huile d'olive ou de tournesol dans une grande poêle à frire, puis mettez-y les corps des calmars de manière qu'ils ne se touchent pas. Faites-les dorer de chaque côté. Ajoutez les tentacules et faites à nouveau dorer de chaque côté.

7 Répartissez le mélange à base de pois dans des assiettes individuelles et laissez un peu refroidir. Parsemez d'échalotes hachées, puis arrosez d'huile d'olive et de jus de citron. Ajoutez les calmars frits. Saupoudrez un peu de poivre par-dessus et parsemez de persil haché. La fava peut être servie chaude ou à température ambiante, avec des quartiers de citron.

ACHETEZ DE L'AUTHENTIQUE

Si possible, achetez de préférence les légumes à gousse appelés *fava*, comme le plat. Ils sont plus petits que les pois cassés ordinaires et ont un goût plus doux. Piquez-les avant de les cuire et retirez les petits noyaux ou cailloux.

Pour 4 personnes en plat principal
Pour 6 personnes en entrée

400 g de *fasolia gigantes* grecs ou de
    gros haricots blancs du même type
15 cl d'huile d'olive vierge extra
2 à 3 oignons hachés (poids total de 300 g)
1 bâton de céleri émincé
2 carottes coupées en dés
3 gousses d'ail émincées
1 cuil. à café d'origan sèche
1 cuil. à café de thym séché
400 g de tomates concassées en boîte
2 cuil. à soupe de purée de tomates
1/2 cuil. à café de sucre cristallisé
3 cuil. à soupe de persil plat frais haché
    menu
sel et poivre noir moulu

Haricots géants et tomates cuits au four
gigantes fournou

Les *gigantes* sont des haricots qui ressemblent aux haricots blancs, mais en plus grands, plus ronds et beaucoup plus doux. Ils poussent dans le nord de la Grèce – les meilleurs viennent de Kastoria. On trouve des haricots similaires en Italie et en Espagne. Ailleurs qu'en Grèce, vous les trouverez dans les boutiques spécialisées.

Ils font un plat délicieux souvent servi dans les tavernes grecques, même l'été. Le gigantes fournou fait partie des *mezethes* dans les restaurants grecs, mais en famille on le sert plutôt en plat de principal.

1 Mettez les haricots dans une grande jatte, recouvrez d'eau froide et laissez tremper une nuit. Le lendemain, égouttez-les, rincez-les à l'eau froide et égouttez-les à nouveau. Versez-les dans une grande casserole, couvrez avec de l'eau, puis portez à ébullition. Couvrez la casserole et laissez cuire jusqu'à ce que les haricots soient tendres. Les gigantes ne sont pas comme les autres haricots – ils cuisent vite, aussi devrez-vous les goûter au bout de 30 à 40 min de cuisson. Il ne faut pas trop les cuire, sinon ils se désintègrent.

2 Une fois que les haricots sont cuits, égouttez-les dans une passoire, jetez le liquide de cuisson, puis réservez-les. Préchauffez le four à 180 °C (th. 6).

3 Faites chauffer l'huile d'olive dans une grande casserole, mettez-y les oignons et faites-les fondre. Ajoutez le céleri, les carottes, l'ail et les herbes séchées et tournez à l'aide d'une spatule en bois jusqu'à ce que l'ail exhale son parfum.

4 Incorporez les tomates, couvrez et cuisez 10 min. Ajoutez la purée de tomates diluée dans 30 cl d'eau chaude, puis remettez les haricots dans la casserole avec le sucre et le persil. Salez et poivrez généreusement.

5 Versez le mélange à base de haricots dans un plat à four et cuisez au four 30 min en goûtant les haricots de temps en temps et en ajoutant de l'eau chaude si nécessaire. La surface doit être légèrement brûlée et sucrée.

ÉVITEZ D'AJOUTER DU SEL
N'ajoutez jamais de sel aux légumes secs avant qu'ils ne soient cuits, car cela durcit la peau.

Pour 4 personnes en plat principal
Pour 6 personnes en entrée

700 g de courgettes (zucchini)
450 g de pommes de terre épluchées
    et coupées en morceaux
1 oignon émincé
3 gousses d'ail hachées
1 gros poivron rouge épépiné et coupé
    en dés
400 g de tomates concassées en boîte
15 cl d'huile d'olive vierge extra
1 cuil. à café d'origan séché
3 cuil. à soupe de persil plat frais haché
sel et poivre noir moulu

Courgettes et pommes de terre au four
briami

Préparez ce plat délicieux au début de l'automne, les arômes qui s'échapperont de votre cuisine vous rappelleront les riches saveurs de l'été qui vient de s'achever.

Le briami est très facile à préparer, et tout le monde en raffole, y compris les enfants. Il est très appétissant lorsque les pommes de terre du dessus sont grillées. En Grèce, il est servi comme repas principal, accompagné d'une salade, de quelques olives et de fromage. Servez chaud ou à température ambiante.

1 Préchauffez le four à 190 °C (th. 6). Nettoyez les courgettes sous l'eau courante et coupez-les en rondelles. Disposez-les dans un grand plat à four et ajoutez les pommes de terre, l'oignon, l'ail, le poivron rouge et les tomates. Mélangez bien, puis incorporez l'huile, 15 cl d'eau chaude et l'origan.

2 Étalez le mélange en une couche égale, salez et poivrez. Faites cuire au four 30 min, puis ajoutez le persil et un peu d'eau.

3 Remettez au four et cuisez pendant 1 h en montant la température à 200 °C (th. 7) pendant les 15 dernières minutes, de façon à faire dorer les pommes de terre.

Pour 4 personnes

1 grosse poignée de feuilles de roquette
2 cœurs de salade romaine
3 à 4 brins de persil plat frais haché
2 à 3 cuil. à soupe d'aneth frais haché menu
8 cl d'huile d'olive vierge extra
1 à 2 cuil. à soupe de jus de citron
sel

Salade de roquette sauvage et de romaine

maroulosalata me roka

En Grèce, les salades sont très fraîches, souvent un peu citronnées. La préférence nationale pour les feuilles à goût très fort, parfois même un peu amer, se reflète aussi dans les salades fraîches. La roquette sauvage est l'un des ingrédients favoris des Grecs ; elle donne du piquant aux salades.

1 Si les feuilles de roquette sont jeunes et tendres, vous pouvez les laisser entières, sinon débarrassez-les des tiges les plus épaisses et coupez-les.

2 Coupez la salade romaine en minces rubans et mettez-les dans une jatte, puis ajoutez la roquette, le persil et l'aneth hachés.

3 Pour préparer l'assaisonnement, mélangez l'huile, le jus de citron et le sel dans un bol en fouettant jusqu'à ce que le mélange épaississe. Versez sur la salade et tournez-la juste avant de servir.

POUR UN ÉQUILIBRE PARFAIT

Il est essentiel de trouver l'équilibre entre le goût amer de la roquette et celui, très doux, de la salade romaine. Le meilleur moyen pour y parvenir, c'est de goûter !

Pour 4 personnes

4 steaks de thon d'épaisseur moyenne
    (poids total de 800 g)
11 cl d'huile d'olive vierge extra
1 gros citron pressé
3 gousses d'ail écrasées
3 cuil. à soupe de persil plat frais haché
1 cuil. à soupe d'origan frais ou
    1 cuil. à café d'origan séché
500 g de pommes de terre épluchées
    et coupées en dés
450 g de tomates mûres pelées et hachées
sel et poivre noir moulu

Thon aux pommes de terre cuit au four
tonos plaki

C'est en septembre que les pêcheurs d'Alonnisos rapportent leurs meilleures prises de thon, et les femmes du lieu préparent ce plat. Propre à cette île, cette spécialité est souvent cuite dans le four du boulanger local, après la première fournée de pain. À l'heure du déjeuner, les arômes de l'ail et de l'origan sont littéralement enivrants.

1 Mélangez l'huile d'olive, le jus de citron et l'ail dans un plat peu profond assez grand pour contenir les steaks de thon en une seule couche. Salez et poivrez, puis ajoutez les steaks. Parsemez-les de persil et d'origan et retournez-les pour les enrober de marinade. Laissez mariner 1 à 2 h. Transférez dans un plat à rôtir.

2 Préchauffez le four à 180 °C (th. 6). Mettez les dés de pommes de terre dans le plat à marinade et enrobez-les bien de jus. Disposez-les ensuite autour des steaks de thon, répandez le reste de la marinade par-dessus et éparpillez les tomates sur le tout.

3 Versez 15 cl d'eau chaude dans le plat à rôtir. Faites cuire au four 40 min en retournant le thon à mi-cuisson et en remuant les pommes de terre pour les empêcher d'attacher.

4 Transférez le thon dans un plat chaud et couvrez-le avec du papier aluminium. Montez la température du four à 200 °C (th. 7), ajoutez un peu d'eau chaude au fond du plat à rôtir si nécessaire, puis enfournez à nouveau les pommes de terre 15 min afin qu'elles soient dorées et croustillantes. Servez avec une salade verte, si vous le souhaitez.

Pour 4 personnes

4 steaks de colin frais de 200 g
   ou 4 filets de morue
500 g d'épinards frais débarrassés des tiges
2 cuil. à soupe de farine
8 cl d'huile d'olive vierge extra
1 verre de vin blanc (environ 17 cl)
3 à 4 lanières d'écorce de citron
sel et poivre noir moulu

Pour la sauce à l'œuf et au citron
2 gros œufs à température ambiante
1/2 citron pressé
1/2 cuil. à café de farine de maïs

Colin aux épinards avec sauce à l'œuf et au citron
bakaliaros me spanaki avgolemono

Les recettes de poisson cuit avec différents types de verdures trouvent leur origine dans la vie monastique. La pratique religieuse exigeait que l'on mangeât du poisson à certaines dates – par exemple le 25 mars, jour de l'Annonciation à Marie, ou le dimanche des Rameaux. Dans les monastères, les cuisiniers savaient agrémenter leurs plats avec la verdure cueillie dans les montagnes et qui variait selon la saison.

Dans la gastronomie moderne, les verdures sont remplacées par les légumes comme les épinards, le céleri, les poireaux, les navets ou le fenouil. Ce plat simple, très sain et rapide à préparer a beaucoup de succès dans les îles de la mer Égée.

1 Mettez les feuilles d'épinards dans une grande casserole. N'ajoutez pas d'eau, les gouttes qui restent accrochées aux feuilles après le lavage suffiront. Couvrez hermétiquement et faites cuire à feu moyen 5 à 7 min. Soulevez le couvercle de temps en temps et retournez les feuilles avec une cuillère en bois. Égouttez et réservez.

2 Farinez légèrement le poisson et secouez-le pour retirer l'excédent de farine. Faites chauffer l'huile d'olive dans une grande poêle à frire et faites revenir les morceaux de poisson 2 à 3 min de chaque côté.

3 Versez le vin sur le poisson, ajoutez l'écorce de citron, assaisonnez légèrement et faites tourner la poêle pour bien répartir les ingrédients. Baissez le feu et laissez mijoter pendant quelques minutes, jusqu'à ce que le vin ait un peu réduit.

4 Répartissez les épinards autour du poisson. Laissez mijoter 3 à 4 min, puis retirez la poêle du feu et laissez reposer quelques minutes avant d'ajouter la sauce.

5 Pour préparer la sauce à l'œuf et au citron, reportez-vous à la recette de la soupe de poulet (p. 96), en utilisant les quantités indiquées ci-dessus. Versez la sauce sur le poisson et les épinards, mettez la poêle sur feu très doux et remuez-la pour amalgamer les ingrédients. Ajoutez un peu d'eau tiède si nécessaire. Laissez cuire à feu doux 2 à 3 min et servez.

NETTOYER LES ÉPINARDS

Les épinards peuvent contenir de la terre, surtout si vous les cueillez dans votre jardin. Pour les nettoyer, plongez les feuilles dans un évier rempli d'eau froide et remuez-les, puis égouttez-les dans une passoire. Répétez l'opération quatre ou cinq fois jusqu'à ce que l'eau soit parfaitement claire.

Pour 4 personnes

500 g de saucisses aux épices (saucisses
    à l'ail italiennes ou saucisses de Toulouse)
700 g de poivrons doux
8 cl d'huile d'olive vierge extra
400 g de tomates coupées en tranches
1 cuil. à café d'origan séché ou quelques
    brins de thym frais hachés
3 cuil. à soupe de persil plat frais haché
sel et poivre noir moulu

Saucisses aux épices et poivrons

spetzofai pilioritiko

Ce plat est une spécialité du Pélion, la belle chaîne montagneuse qui domine la ville de Volos d'un côté et la mer Égée de l'autre, sur la côte orientale. On le sert dans tous les villages de la région. Si vous visitez Milies, Tsangaratha, Zagora ou Makrinitsa, vous le trouverez en train de mijoter dans la cuisine. Ce plat est également très populaire dans les îles voisines de Skiathos, Alonnisos et Skopelos.

Les poivrons traditionnellement utilisés dans cette recette sont la variété locale allongée verte ou jaune, très douce. Cependant, vous pouvez les remplacer par des poivrons allongés rouges ou un mélange de poivrons ordinaires rouges, verts et jaunes.

1 Coupez les poivrons en deux, épépinez-les et coupez chaque moitié en quatre. Faites chauffer l'huile d'olive dans une grande casserole à fond épais, et mettez à revenir les poivrons à feu moyen 10 à 15 min jusqu'à ce qu'ils commencent à brunir.

2 Parallèlement, coupez les saucisses en morceaux. Versez avec précaution l'huile d'olive chaude dans une poêle à frire. Mettez les saucisses à frire rapidement en les retournant souvent pour les débarrasser de tout excédent de graisse. Dès qu'elles brunissent, retirez-les de la poêle avec une écumoire et égouttez-les sur une assiette garnie d'essuie-tout.

3 Dans la casserole où sont les poivrons, ajoutez les tomates, les saucisses et l'origan ou le thym. Versez 15 cl d'eau chaude, salez et poivrez, puis couvrez la casserole et laissez mijoter 30 min. Parsemez de persil et servez.

AUTRE MÉTHODE DE CUISSON

Si vous préférez, vous pouvez incorporer le persil, étaler le mélange dans un plat à four de taille moyenne et faire cuire dans un four préchauffé à 180 °C (th. 6). Comptez 40 min en remuant de temps en temps et en ajoutant de l'eau chaude si nécessaire.

Pour 4 personnes

1,6 kg de poulet fermier ou bio, découpé
8 cl d'huile d'olive vierge extra
3 à 4 échalotes hachées menu
2 carottes coupées en morceaux
1 bâton de céleri haché
2 gousses d'ail hachées
1 citron pressé
2 cuil. à soupe de persil plat frais haché
12 olives vertes ou noires
sel et poivre noir moulu

Fricassée de poulet aux olives

kotopoulo me elies

Ce plat délicieux est très facile à préparer
et a une saveur typiquement méditerranéenne.
Dans notre famille, on le servait souvent
avec des frites ou du riz, mais on peut
également l'accompagner de pommes de
terre nouvelles cuites à l'eau.

1 Préchauffez le four à 180 °C (th. 6). Faites chauffer l'huile d'olive dans une grande cocotte et faites
dorer les morceaux de poulet des deux côtés.
Sortez-les de la cocotte et réservez-les.

2 Mettez les échalotes, les carottes et le céleri
dans l'huile qui reste au fond de la cocotte et
faites-les revenir quelques minutes. Incorporez
l'ail. Dès qu'il exhale son parfum, remettez le
poulet dans la cocotte et versez le jus de citron
par-dessus. Laissez frémir quelques minutes, puis
ajoutez 30 cl d'eau, salez et poivrez.

3 Couvrez et mettez la cocotte au four. Faites
cuire 1 h en retournant les morceaux de poulet de
temps en temps. Sortez la cocotte du four, parsemez de persil et d'olives, mélangez bien, puis
couvrez à nouveau et remettez au four 30 min.
Servez immédiatement.

Pour 4 personnes

4 jarrets d'agneau
3 cuil. à soupe de farine
5 cl d'huile d'olive vierge extra
1 gros oignon haché
2 gousses d'ail émincées
1 bâton de céleri coupé en tranches
1 carotte coupée en rondelles
2 brins de romarin frais
2 feuilles de laurier
1 verre de vin blanc (environ 17 cl)
2 cuil. à soupe de purée de tomates
225 g de *cannellini* ayant trempé toute
    une nuit
sel et poivre noir moulu

Jarrets d'agneau aux cannellini
arnaki me fasolia

Très substantiel, ce plat est idéal pour les
froides soirées d'automne. Le goût des
haricots s'enrichit lorsqu'on les fait cuire
lentement dans le jus de viande. Servez avec
une salade fraîche assaisonnée au citron.

1 Préchauffez le four à 160 °C (th. 6). Assaisonnez
les jarrets d'agneau et farinez-les légèrement.
Faites chauffer l'huile dans une grande cocotte
sur feu vif et faites dorer les morceaux de viande
de tous les côtés. Sortez-les de la cocotte et
réservez-les.

2 Mettez l'oignon dans l'huile chaude et faites-le
fondre à feu doux. Ajoutez l'ail, le céleri, la carotte,
le romarin et les feuilles de laurier.

3 Remettez la viande dans la cocotte et versez
lentement le vin par-dessus. Laissez frémir et
réduire, puis incorporez la purée de tomates diluée
dans 45 cl d'eau chaude. Égouttez les *cannellini*
mis à tremper et versez-les dans la cocotte.
Poivrez à votre goût. Mélangez bien et couvrez.
Mettez la cocotte au four et faites cuire 1 h. Sortez
la cocotte du four, salez à votre goût et ajoutez
15 cl d'eau chaude. Couvrez et remettez à cuire
1 h. Servez chaud.

Pour 4 personnes

1 kg de steak d'aloyau de bonne qualité
    coupé en tranches épaisses
2 à 3 gros coings (poids total d'1 kg)
1/2 citron pressé
8 cl d'huile d'olive vierge extra
1 verre de vin blanc (environ 17 cl)
1 bâton de cannelle
3 cuil. à soupe de cassonade
1 noix de muscade
sel

Bœuf aux coings

moshari me kythonia

Ce plat exotique me rappelle les douces journées
d'automne où l'on voyait les fruits éblouissants
pendre aux branches dénudées. À la fin du mois
d'octobre et au début du mois de novembre, le
verger paraissait planté d'arbres de Noël. J'aime
les coings pour leur arôme et leur goût subtil,
et je les accommode de mille façons – je sais
qu'il s'agit d'un goût acquis. Cependant, cette
combinaison de saveurs sucrées et salées fait la
conquête de tout le monde, y compris des non-
initiés. Ce plat succulent se suffit à lui-même.

1 Préparez une jatte d'eau acidulée avec du jus de citron.
Coupez chaque coing en quatre dans le sens vertical
avec un couteau pointu. Retirez le cœur et épluchez les
morceaux, puis plongez-les dans l'eau acidulée pour les
empêcher de se décolorer.

2 Faites chauffer l'huile d'olive dans une sauteuse à fond
épais. Dès qu'elle commence à fumer, faites brunir les
morceaux de viande des deux côtés en les retournant au
moins une fois. Quand ils sont bien dorés, versez le vin
par-dessus et laissez frémir pour qu'il réduise.

3 Versez 30 cl d'eau chaude dans la sauteuse et ajoutez
la cannelle. Couvrez et laissez cuire à feu doux 1 h. Salez
à votre goût.

4 Sortez les coings de l'eau citronnée et coupez-les verticalement en 2 à 3 quartiers. Étalez-en la moitié dans une
grande poêle à frire. Diluez la cassonade dans 30 cl d'eau
chaude, versez la moitié de cette eau sur les coings et
faites cuire à feu doux 10 min en retournant de temps en
temps jusqu'à ce que tout le liquide ait été absorbé et que
les fruits commencent à caraméliser.

5 Disposez les quartiers de coing caramélisés sur les
tranches de viande et procédez de même pour le reste
des coings. Une fois que vous les avez tous disposés sur
la viande, râpez finement 1/4 de noix de muscade par-
dessus. Si nécessaire, ajoutez de l'eau chaude de façon
que le tout soit complètement recouvert.

6 Couvrez la sauteuse et laissez cuire 30 min sans remuer,
sinon les coings risqueraient de se défaire. Secouez
simplement la sauteuse la poêle de temps à autre afin
d'empêcher la viande d'attacher. Servez chaud.

BIEN CHOISIR LA VIANDE

Le steak d'aloyau est un morceau très tendre situé
entre le collier et les côtes, à côté du paleron. C'est un
excellent morceau à braiser. Si vous·n'en trouvez pas,
achetez de la viande à braiser ou du ragoût.

Pour 4 personnes

700 g de viande d'agneau ou de bœuf
  hachée
2 à 3 tranches de pain d'épaisseur
  moyenne, sans la croûte
2 gousses d'ail écrasées
1 cuil. à soupe de cumin moulu
1 œuf légèrement battu
25 g de farine
5 cl d'huile de tournesol pour faire frire
sel et poivre noir moulu

Pour la sauce
5 cl d'huile d'olive
1 cuil. à café de graines de cumin
400 g de tomates concassées en boîte
1 cuil. à soupe de purée de tomates
1/2 cuil. à café d'origan séché
12 à 16 olives vertes, de préférence
  craquelées, rincées et égouttées

Croquettes de viande au cumin et aux olives vertes

soutzoukakia me elies

Nous devons sans doute ce plat délicieux aux Grecs venus d'Asie Mineure après la guerre gréco-turque de 1922. Il est idéal pour un dîner entre amis, car il peut être préparé à l'avance et réchauffé juste avant de servir. Servez les croquettes avec du riz ordinaire, des frites ou des pâtes.

1 Faites tremper le pain dans de l'eau 10 min, égouttez-le, pressez-le, puis mettez-le dans une jatte. Ajoutez la viande, l'ail, le cumin et l'œuf. Salez et poivrez, puis mélangez à la main ou avec une fourchette.

2 Prenez une poignée de cette farce et pétrissez-la en forme de saucisse. Continuez ainsi jusqu'à ce que vous ayez utilisé toute la farce. Farinez légèrement les croquettes et secouez-les pour faire tomber l'excédent de farine.

3 Faites chauffer l'huile de tournesol dans une grande poêle à frire antiadhésive et faites dorer les soutzoukakia. Sortez-les de la poêle et mettez-les dans un plat creux.

4 Préparez la sauce. Faites chauffer l'huile d'olive dans une grande casserole. Mettez les graines de cumin à dorer jusqu'à ce qu'elles exhalent leur parfum. Ajoutez les tomates et remuez avec une spatule en bois pendant 2 min pour les désintégrer. Incorporez la purée de tomates diluée dans 15 cl d'eau chaude, mélangez et ajoutez les croquettes. Parsemez d'origan et d'olives, salez et poivrez à votre goût. Couvrez et laissez cuire à feu doux 30 min, en secouant la poêle de temps en temps pour empêcher les croquettes d'attacher et pour bien les enrober de sauce. Transférez dans un plat et servez.

UNE SUGGESTION POUR SERVIR

Les soutzoukakia sont délicieuses quand on les fait mijoter dans la sauce tomate au cumin, mais elles sentent si bon lorsqu'on les fait frire qu'il est difficile d'attendre pour les manger. Vous pouvez les servir seules – assurez-vous simplement qu'elles sont bien cuites.

Pour 6 à 8 personnes

400 g de sucre en poudre
1 bâton de cannelle
25 cl d'huile d'olive
350 g de semoule
50 g d'amandes émondées
2 cuil. à soupe de pignons
1 cuil. à café de cannelle moulue

Gâteau de semoule

halvas

En Grèce, tout le monde aime ce gâteau. Il est vite
prêt – une vingtaine de minutes –, et les ingrédients
sont bon marché. Il est idéal pour accompagner
le café. Sa recette est des plus simples, toutes
les femmes grecques la connaissent par cœur :
un, deux, trois, quatre. Soit le nombre de tasses
des ingrédients de base : une tasse d'huile d'olive,
deux tasses de semoule, trois tasses de sucre et
quatre tasses d'eau. La recette que nous proposons
comporte un peu moins de sucre afin de s'adapter
au goût de notre époque.

1 Mettez le sucre dans une casserole à fond épais, versez
1 litre d'eau et ajoutez la cannelle. Portez à ébullition en
remuant jusqu'à ce que le sucre soit dissous, puis faites
bouillir sans remuer pendant 4 min pour obtenir du sirop.

2 Parallèlement, faites chauffer l'huile dans une autre
casserole à fond épais. Une fois qu'elle est très chaude,
versez la semoule graduellement et remuez jusqu'à ce
que le mélange brunisse.

3 Baissez le feu, ajoutez les amandes et les pignons et
laissez brunir 2 à 3 min en remuant constamment. Retirez
du feu et réservez. Sortez le bâton de cannelle du sirop
brûlant avec une écumoire et jetez-le.

4 Mettez des gants de cuisine pour vous protéger les
mains et versez progressivement le sirop brûlant dans le
mélange à base de semoule en remuant continuellement.
À ce stade, le mélange va siffler et crachoter, aussi
devrez-vous vous tenir en retrait.

5 Remettez la casserole sur feu doux et remuez jusqu'à
ce que tout le sirop soit absorbé et que le mélange soit
lisse et homogène. Retirez la casserole du feu, couvrez
avec un torchon et laissez reposer 10 min.

6 Transférez le mélange dans un moule à gâteaux de
20 à 23 cm de diamètre, de préférence cannelé. Laissez
refroidir, puis démoulez sur un plat et saupoudrez de
cannelle moulue.

QUELLE HUILE CHOISIR

En Grèce, cette recette serait préparée avec de l'huile
d'olive vierge extra, mais vous pouvez utiliser une
huile d'olive plus légère.

Pour environ 30 morceaux

8 à 9 oranges à grosse écorce rincées
  et séchées (poids total d'1 kg)
1 kg de sucre en poudre extra-fin
1 citron pressé

Oranges confites

nerantzi glyko

On fait des fruits confits avec différentes sortes
de fruits conservés dans du sirop. Les figues, les
cerises, les raisins et les abricots font d'excellents
confits, de même que les petites oranges amères
laissées entières. On trouve aussi des noix vertes
fraîches confites fourrées aux amandes et aux clous
de girofle. On fait de ravissants confits de pétales
de roses, de petites aubergines ou d'olivettes.

C'est à la fin de l'automne que je prépare les
confits d'écorce d'orange avec des navel ; en hiver,
j'utilise des oranges de Séville. C'est mon confit
préféré, c'est aussi le plus facile à préparer. Il se
conserve sans problème pendant un an ou deux.

1 Râpez légèrement les oranges et jetez le zeste. Coupez
chaque orange verticalement en 4 à 6 morceaux (selon la
taille des oranges), retirez l'écorce de chaque segment
sans la déchirer et plongez-la dans un bol d'eau froide.
Gardez la chair pour une autre recette.

2 Enfilez du fil de coton résistant sur une aiguille à tapis-
serie. Enroulez un morceau d'écorce et passez l'aiguille
au travers de façon à l'enfiler. Enfilez ainsi 10 à 12 morceaux d'écorce, puis nouez les deux extrémités du fil.
Plongez le tout dans une jatte d'eau fraîche et laissez
tremper 24 h en changeant l'eau trois ou quatre fois.

3 Le lendemain, égouttez et mettez tout dans une grande
casserole. Versez 3 litres d'eau. Portez à ébullition en cou-
vrant partiellement et laissez bouillir 15 min. Videz l'eau et
égouttez bien les écorces. Remettez-les dans la casserole, couvrez de la même quantité d'eau et faites bouillir
à nouveau 10 min, afin que les écorces soient tendres.
Laissez égoutter au moins 1 h dans une passoire.

4 Mettez le sucre dans une grande casserole à fond épais
et ajoutez 15 cl d'eau. Faites chauffer à feu doux en
remuant jusqu'à ce que le sucre soit dissous, puis laissez
frémir sans remuer pendant 4 min jusqu'à obtenir un sirop
épais. Coupez les fils pour libérez les fruits dans le sirop.
Laissez mijoter 5 min, puis retirez la casserole du feu et
laissez les écorces reposer dans le sirop toute une nuit.

5 Le lendemain, faites bouillir le sirop à feu doux 4 à 5 min,
jusqu'à ce qu'il commence à épaissir. Incorporez le jus
de citron, retirez la casserole du feu et laissez les confits
refroidir. Mettez les fruits confits et le sirop dans des
bocaux stérilisés. Fermez et étiquetez, puis rangez dans
un endroit sombre et frais.

COMMENT SERVIR

On offre souvent ce confit – *glyko tou koutaliou* – aux
visiteurs. Présentez un morceau dans une cuillère posée
sur une soucoupe, accompagné d'un verre d'eau froide.

L'hiver

Des betteraves rouge rubis, de délicieux
haricots secs et des fricassées qui réchauffent

L'hiver, les rues des villes et des villages grecs sont généralement tranquilles, même s'il y a toujours des marchés en plein air. Les estivants ne reconnaîtraient pas les îles, qui à cette saison ont l'air désertées. La vie s'est retranchée à l'intérieur des maisons.

Si l'été les cuisines étaient fraîches, tandis que dehors la température était torride, l'hiver elles apparaissent comme des havres de confort. Les fricassées de légumes secs – haricots, pois cassés, lentilles et pois chiches – mijotent doucement sur la cuisinière pendant la plus grande partie de la journée, nourrissant le corps et réchauffant la maison.

Les cuisiniers crétois mélangent le plus de légumes secs possible avec des céréales complètes pour produire un plat très simple mais délicieux appelé *pallikaria*. Ce mot signifie les « braves », mais on ne sait pas au juste s'il s'applique à ceux qui préparent le mets ou à ceux qui le mangent.

Dans tout le reste de la Grèce, on prépare la *fasolatha*, la séculaire soupe aux haricots. Ce plat très frugal est traditionnellement accompagné d'une assiette d'olives, d'oignons coupés en quatre et d'ail. Pour les grandes occasions, il peut être transformé en *keftethes* (boulettes de viande frites) dont l'arôme évoque les montagnes.

La *fasolatha* peut aussi servir de prélude à une sorte de conserve de poisson dont les Grecs raffolent : la *lakertha* (thon blanc au vinaigre) ou les anchois salés. On les sort d'énormes boîtes en fer-blanc, encore tout couverts de sel étincelant. Après les avoir rincés, découpés en filets et, si l'on préfère un goût plus doux, après les avoir fait mariner dans le lait pendant un temps assez court, on les assaisonne avec de l'huile d'olive et un peu de jus de citron.

En haut à gauche
Les Grecs apprécient les betteraves, et les servent souvent avec une *skorthalia*, une sauce à l'ail au goût très prononcé.

En haut à droite
Anchois salés assaisonnés à l'huile d'olive, dont les Grecs raffolent.

Ci-contre
Bien qu'ils ne soient pas originaires de Grèce, les *cannellini* y sont très appréciés. Ils sont l'ingrédient de base de la *fasolatha*, une soupe très consistante, sans doute la plus typique de tous les plats grecs.

L'hiver, les marchés en plein air sont moins colorés. Le blanc et le vert dominent. Les poireaux, les choux-fleurs et les choux – énormes, parfaits pour les *lahanodolmathes* (feuilles de chou farcies) – se bousculent sur les étals à côté des épinards, que l'on fera cuire avec du riz et de l'aneth ou que l'on mélangera avec des calmars.

La seule tache de couleur vient des bouquets de betteraves écarlates. Ces légumes peuvent être insipides au naturel, mais rôtis et servis avec une *skorthalia*, ils sont succulents. Les moules sont également très bon marché en cette saison, et l'on en fait de merveilleux pilafs exotiques.

Le dimanche, des effluves délicieux s'échappent des cuisines. Le *stifatho* – ragoût de bœuf, de lapin ou de poulpe longuement mitonné avec des petits oignons – est l'un des plats d'hiver les plus populaires en Grèce, de même que le porc aux pois chiches et à l'orange, une recette des îles de la mer Égée.

Plus on reste chez soi, plus on consacre de temps à la cuisine. C'est en hiver que les femmes préparent des plats compliqués tels que les *lahanodolmathes*. Confectionner et garnir ces paquets en forme de cigare sont des tâches laborieuses, mais la plupart des cuisinières font passer le mot à une amie ou à une voisine qui, en échange d'un *kafethaki*, un café grec, et d'un bavardage animé, passera volontiers la matinée à enrouler des feuilles de chou.

Une fois que les dolmathes mijotent sur la cuisinière, on s'amuse à lire l'avenir dans le marc de café : une forme de bateau annonce un voyage, des taches blanches sont le signe d'argent.

En haut
La *fasolatha*, la soupe nationale grecque, est toujours servie avec une assiette d'olives et des tranches d'oignon ou d'ail cru.

Ci-contre
L'hiver, les marchés sont beaucoup moins colorés que l'été, mais quelques taches de couleur vive – les betteraves couleur rubis et les choux violets – ravivent les étals.

Les ingrédients d'hiver sont consistants : légumes secs et épices pour les soupes et les fricassées réconfortantes, délicieux fruits de mer pour les jours où l'on a envie de se gâter.

Les lentilles

Originaires de la Méditerranée, les lentilles sont de taille et de couleur différentes. En Grèce, les plus courantes sont les lentilles vertes. Il y en a des grosses et des petites, mais les petites lentilles rondes ont le meilleur goût. Les lentilles cuisent rapidement, ont un petit goût de noisette et n'ont pas besoin d'être mises à tremper. On en fait une soupe délicieuse, souvent servie le vendredi, jour de jeûne. Le vendredi saint, on les sert traditionnellement bouillies et assaisonnées de vinaigre.

Les pois chiches

Comme les lentilles, les pois chiches sont originaires de la Méditerranée et sont un aliment de base depuis des siècles. Dans la Grèce antique, on les servait soit comme plat salé soit, rôtis, comme dessert. Ce légume sec au goût de noisette est idéal pour les fricassées – on mélange alors les pois chiches à de la viande de porc ou d'agneau. Ils se marient bien avec le citron, et l'addition d'un peu de jus de citron à une soupe aux pois chiches en rehausse agréablement la saveur. Les pois chiches servent également à faire des croquettes épicées.

Il est très important de faire tremper les pois chiches toute une nuit avant de les cuire ; il faut ensuite les faire bouillir pendant plusieurs heures, à moins que vous n'utilisiez une Cocotte-Minute – dans ce cas 20 à 25 minutes de cuisson suffisent.

En haut
Avant d'être cuits, la plupart des légumes secs doivent être mis à tremper dans de l'eau froide pendant toute une nuit.

Ci-contre
Les pois chiches ont un goût de noisette qui se marie bien avec le citron. Mélangés avec des herbes et des épices, ils font de merveilleuses soupes et fricassées, ou des croquettes.

Page ci-contre
Dans le sens des aiguilles d'une montre, à partir d'en haut à gauche : parmi les aliments de base de l'hiver, citons le rouget aux oranges, les amandes, les feuilles de choux farcies, les agrumes et les petits oignons – pour le *stifatho*, délicieux ragoût.

Les haricots secs

Il existe de nombreuses variétés de haricots secs en Grèce, mais la plus couramment utilisée est la variété mince et allongée appelée *cannellini*. À la différence des fèves, originaires du pays, les *cannellini* viennent d'Argentine. Les Grecs les ont adoptés avec enthousiasme. Ils sont l'ingrédient de base de la *fasolatha*, le plus typique des plats grecs, une soupe robuste qui a nourri plusieurs générations. Les *cannellini* sont également mélangés à de la viande de porc ou d'agneau pour préparer de délicieux ragoûts longuement mitonnés.

Les énormes *fasolia gigantes* charnus sont aussi très prisés. Ces haricots sont cultivés dans le nord de la Grèce, et les meilleurs proviennent de Kastoria. Une fois séchés, ils servent à faire des soupes, des purées, des fricassées, des salades, ou ils accompagnent des viandes. Outre leur précieux apport en protéines pendant les longs mois d'hiver, ils sont l'un des aliments de base des périodes de jeûne, notamment le carême.

Avant toute utilisation, les haricots secs doivent être mis à tremper toute une nuit, puis égouttés, rincés et égouttés à nouveau. Il est essentiel de faire bouillir les haricots nains à gros bouillons pendant au moins 10 min avant de les faire mijoter pour éliminer les toxines – c'est également recommandé pour tous les types de haricots secs.

Le secret des haricots secs cuits à la grecque réside dans l'utilisation de généreuses quantités d'huile d'olive de première qualité, qui en rehausse le goût.

Le calmar et la seiche

Le calmar et la seiche sont très appréciés en Grèce, surtout pendant les mois d'hiver. On les fait alors frire pour accompagner des plats frugaux comme la soupe de *cannellini* ou les épinards au riz et à l'aneth. On en fait également des plats à part entière, avec du riz, des épinards ou des pommes de terre.

Si vous achetez du calmar ou de la seiche chez le poissonnier, vous pouvez demander qu'on vous les prépare, à condition de prévenir à l'avance. Cependant, il peut arriver que vous soyez obligé de les préparer vous-même.

Ci-dessus
Les gros *gigantes* crémeux de Kastoria, dans le nord de la Grèce, sont un aliment de base pendant les mois d'hiver.

À gauche
Le calmar est très apprécié en Grèce, frit isolément ou pour accompagner des plats frugaux comme la soupe aux haricots.

Ci-contre
Marinade à base de poivre de la Jamaïque, une épice très prisée dans la gastronomie grecque.

Préparer le calmar et la seiche

- Lavez soigneusement le calmar ou la seiche. S'il y a de l'encre, rincez abondamment pour bien voir ce que vous faites.
- En tenant fermement le corps d'une main, arrachez la tête et les tentacules. Si la poche à encre est intacte, retirez-la. Vous pouvez la faire cuire ou la jeter.
- Arrachez les entrailles, y compris la « plume » transparente.
- Retirez et jetez la fine membrane violette, mais gardez les deux petites nageoires.
- Coupez en deux juste au-dessous des yeux, en coupant les tentacules. Jetez le reste de la tête. Pressez les tentacules situés à l'extrémité de la tête pour en faire sortir le bec rond du milieu. Jetez-le.
- Rincez soigneusement la poche et les tentacules. Égouttez bien.

- Si le calmar ou la seiche doit être farci, laissez la poche intacte. Sinon, découpez-la en anneaux. Les tentacules sont souvent laissés entières pour frire, mais on peut aussi les couper en courts segments.

Ci-dessus à droite
Le *kefalotyri*, un fromage dur fait avec du lait de chèvre ou de brebis, a un goût piquant et salé.

Le kefalotyri

Ce fromage fait avec du lait de chèvre ou de brebis est très salé. Traditionnellement, on l'utilise râpé dans des plats tels que le *yiouvetsi* (agneau cuit au four avec des pâtes). Du fait qu'il ne fond pas à la cuisson, on peut le faire frire et le servir en *mezethes* avec des boissons.

Le graviera

Le meilleur *graviera* est crétois. Il est fait avec du lait de brebis et, lorsqu'il est suffisamment âgé, il a un goût subtil. Le *graviera* de Naxos est doux ; le *dodoni*, fait avec du lait de vache, est encore plus doux. Le *metsovo* a un goût curieux et le *lathotiry mytilinis*, vieilli dans l'huile d'olive, a une saveur piquante très agréable.

Le poivre de la Jamaïque

Cette épice n'est pas originaire de la Méditerranée mais des Indes orientales. Les habitants des îles grecques en raffolent – sans doute un héritage de leurs occupants vénitiens. Les baies de la Jamaïque sont utilisées moulues ou entières – c'est généralement le cas en Grèce. Le goût et l'arôme évoquent un mélange de clous de girofle, cannelle, cardamome et noix de muscade.

Pour 4 personnes

500 g de viande d'agneau ou de bœuf hachée
2 tranches de pain d'épaisseur moyenne,
   sans la croûte
1 oignon râpé
1 cuil. à café de thym et d'origan séchés
3 cuil. à soupe de persil plat frais haché,
   plus un peu pour garnir
1 œuf légèrement battu
sel et poivre noir moulu
quartiers de citron, pour servir (facultatif)

Pour la friture
25 g de farine
2 à 3 cuil. à soupe d'huile végétale

Boulettes de viande frites

keftethes

Aucune fête grecque ne serait complète sans les keftethes. Indispensables sur une table de *mezethes,* ils font venir l'eau à la bouche. Ils peuvent également accompagner un plat frugal comme une soupe d'hiver bien chaude.

1 Faites tremper les tranches de pain pendant 10 min, puis égouttez-les. Pressez le pain avec les mains pour en faire sortir l'eau avant de le transférer dans une jatte.

2 Ajoutez la viande, l'oignon, les herbes séchées, le persil, l'œuf, salez et poivrez. Mélangez avec les doigts.

3 Pétrissez la viande en forme de boulettes de la taille d'une noix et farinez-les légèrement. Secouez pour faire tomber l'excédent de farine.

4 Faites chauffer l'huile dans une grande poêle à frire. Mettez-y les boulettes de viande et faites frire en retournant souvent. Sortez-les de la poêle et égouttez-les sur une double épaisseur d'essuie-tout. Parsemez de persil haché et servez avec des quartiers de citron si vous le souhaitez.

Pour 4 personnes

8 tranches de *kefalotyri* grec ou de *haloumi*
    chypriote d'1 cm d'épaisseur
3 cl d'huile d'olive pour faire frire
poivre noir moulu
quartiers de citron, pour servir

Pour la salade
2 cl de vinaigre de vin rouge
6 cl d'huile d'olive vierge extra
1 grosse poignée de feuilles de roquette

Fromage frit sur roquette

saganaki

En métropole, ce mets vous sera peut-être
offert en snack, mais il en existe une variante
plus consistante servie dans les tavernes ou
dans les foyers. On vous l'apportera à table
dans une petite poêle à frire en fonte, encore
tout grésillant. Le fromage traditionnellement
utilisé est le *kefalotyri* grec, riche et salé ; deux
tranches par personne suffisent largement.

1 Préparez d'abord la salade. Mélangez le vinaigre
et l'huile d'olive vierge extra dans un bol en fouettant et assaisonnez les feuilles de roquette. Étalez-
les sur un plat.

2 Faites chauffer l'huile d'olive sur une grande
plaque en fonte ou dans une poêle à frire antiadhésive. Disposez les tranches de fromage au
fond côte à côte en veillant à ce qu'elles ne se
touchent pas sinon elles risqueraient de coller.
Laissez-les grésiller 2 min en les retournant à
l'aide d'une pince ou d'une spatule en métal dès
que les bords deviennent croustillants.

3 Poivrez les tranches de fromage. Dès que la
base commence à dorer, sortez-les de la poêle et
disposez-les sur la roquette. Servez sans attendre
avec des quartiers de citron.

Pour 4 personnes

700 g de betteraves petites ou moyennes
9 cl d'huile d'olive vierge extra
sel

Pour la sauce à l'ail
4 tranches de pain d'épaisseur moyenne
     sans la croûte, mises à tremper 10 min
2 à 3 gousses d'ail hachées
2 cl de vinaigre de vin blanc
6 cl d'huile d'olive vierge extra

Betterave rôtie avec sauce à l'ail
pantzaria me skorthalia

En Grèce, la betterave est un légume d'hiver très apprécié. On la sert en salade ou agrémentée d'une sauce à l'ail très parfumée appelée skorthalia. Le mariage de la betterave au goût sucré et de la sauce piquante est irrésistible.

Les Grecs raffolent de la skorthalia. Aujourd'hui, on la sert avec du poisson frit ou des légumes comme la betterave ou les courgettes *(zucchini).* Même si en Grèce les betteraves sont généralement bouillies, je préfère les faire rôtir pour exalter leur goût sucré.

1 Préchauffez le four à 180 °C (th. 6). Rincez les betteraves à l'eau claire, mais sans percer la peau, sans quoi elles perdront leur jus.

2 Garnissez le plat à four avec une grande feuille d'aluminium et mettez les betteraves dessus. Répandez un filet d'huile d'olive par-dessus, salez légèrement et repliez les bords de l'aluminium de façon à enfermer le contenu. Cuisez au four 1 h 30.

3 Pendant ce temps, préparez la sauce à l'ail. Pressez le pain pour en faire sortir l'eau, mettez-le dans un robot, ajoutez l'ail et le vinaigre, salez à votre goût et mixez jusqu'à obtention d'une mixture lisse.

4 Tout en continuant de mixer, ajoutez l'huile d'olive. La sauce doit être liquide. Versez-la dans un bol et réservez.

5 Sortez les betteraves de leur enveloppe d'aluminium. Laissez-les refroidir, pelez-les, coupez-les en tranches et disposez-les sur un plat. Répandez le reste de l'huile d'olive par-dessus. Versez la sauce à l'ail dessus ou servez séparément avec du pain frais.

Pour 4 personnes

350 g de pois chiches secs mis à tremper
   dans de l'eau froide toute une nuit
15 cl d'huile d'olive vierge extra,
   plus un peu pour servir
1 gros oignon haché
1 cuil. à soupe de farine
1 citron pressé ou plus si nécessaire
3 cuil. à soupe de persil plat frais haché
sel et poivre noir moulu

Soupe de pois chiches

revithia soupa

Le pois chiche, aliment de base hivernal, me rappelle l'une de mes soupes préférées. Je la mange en toute saison, même pendant les chauds mois d'été, à Alonnisos. Comparée aux autres soupes à base de légumes secs, souvent très consistantes, celle-ci est légère tant du point de vue du goût que de la texture. Servie avec du pain frais et de la feta, elle fait un délicieux repas à elle seule.

1 Faites chauffer l'huile d'olive dans une casserole à fond épais, mettez l'oignon à fondre. Parallèlement, égouttez les pois chiches, rincez-les à l'eau froide et égouttez-les à nouveau. Secouez la passoire pour les faire sécher, puis versez-les dans la casserole. Remuez à l'aide d'une spatule quelques minutes pour les enrober d'huile, puis couvrez d'eau chaude en dépassant leur niveau de 4 cm.

2 Portez à ébullition. Retirez l'écume qui se forme à la surface avec une écumoire. Baissez le feu, poivrez, couvrez et laissez cuire environ 1 h 15.

3 Mettez la farine dans un bol et incorporez le jus de citron à l'aide d'une fourchette. Une fois que les pois chiches sont tendres, ajoutez-leur ce mélange. Remuez bien, salez et poivrez à votre goût. Couvrez la casserole et cuisez à feu doux 5 à 10 min en remuant de temps en temps.

4 Pour épaissir la soupe, prélevez deux tasses de pois chiches et mettez-les dans un robot. Mixez rapidement de façon que les pois chiches soient juste un peu écrasés. Incorporez dans la soupe et mélangez. Ajoutez le persil, puis goûtez. Si la soupe est un peu fade, ajoutez du jus de citron. Servez dans des bols chauds et proposez de l'huile d'olive à vos invités afin qu'ils puissent en répandre un filet sur leur soupe.

Pour 4 personnes

275 g de *cannellini* secs mis à tremper
   dans de l'eau froide toute une nuit
1 gros oignon émincé
1 bâton de céleri coupé en tranches
2 à 3 carottes coupées en rondelles
400 g de tomates entières pelées en boîte
1 cuil. à soupe de purée de tomates
15 cl d'huile d'olive vierge extra
1 cuil. à café d'origan séché
2 cuil. à soupe de persil plat frais haché
sel et poivre noir moulu

Soupe aux cannellini
fasolia soupa

S'il y a un plat auquel tous les Grecs
s'identifient, c'est bien celui-ci. C'est l'un des
mets les plus appréciés dans le pays, depuis
le plus petit village jusqu'aux grandes villes.
Il est toujours servi avec du pain et des olives,
parfois avec des oignons crus coupés en
quatre (ou de l'ail cru pour les amateurs
de saveurs plus fortes). On l'accompagne
souvent de poisson saumuré ou salé. Pour un
repas plus substantiel, servez cette soupe avec
du calmar frit ou des *keftethes* (voir p. 130).

1 Égouttez les haricots, rincez-les à l'eau froide
et égouttez-les à nouveau. Versez-les dans une
grande casserole, couvrez-les d'eau et portez à
ébullition. Laissez cuire 3 min, puis égouttez.

2 Remettez les haricots dans la casserole, couvrez-
les d'eau fraîche en dépassant de 3 cm leur niveau,
puis ajoutez l'oignon, le céleri, les carottes, les
tomates, la purée de tomates, l'huile d'olive et
l'origan. Poivrez légèrement, mais ne salez pas à
ce stade, car cela durcirait la peau des haricots.

3 Portez à ébullition, baissez le feu et laissez cuire
1 h. Salez, parsemez de persil et servez.

Pour 4 personnes

200 g de haricots et de lentilles mélangés
25 g de blé complet
15 cl d'huile d'olive vierge extra
1 gros oignon haché menu
2 gousses d'ail écrasées
5 à 6 feuilles de sauge fraîche hachées
1 citron pressé
3 ciboules émincées
4 à 5 cuil. à soupe d'aneth frais haché
sel et poivre noir moulu

Haricots et lentilles braisés

cretan pallikaria

J'ai servi ce plat une fois à l'occasion d'un dîner en Crète. Il est merveilleusement facile à préparer, mais il est essentiel de faire tremper les légumes secs et les grains de blé pendant toute une nuit. Offrez une huile d'olive fruitée aux invités afin qu'ils puissent en mettre un filet dans leur assiette.

1 Mettez les légumes secs et le blé complet dans une jatte et recouvrez d'eau froide. Laissez tremper toute une nuit.

2 Le lendemain, égouttez, rincez à l'eau froide et égouttez à nouveau. Transférez le mélange dans une grande casserole. Couvrez d'eau et cuisez 1 h 30. Égouttez, en réservant 50 cl du liquide de cuisson. Nettoyez la casserole et versez-y les haricots, les lentilles et le blé.

3 Faites chauffer l'huile dans une poêle à frire et faites fondre l'oignon. Ajoutez l'ail et la sauge. Dès que l'ail exhale son parfum, transférez le mélange aux haricots. Incorporez le liquide réservé, assaisonnez généreusement et faites mijoter 15 min. Arrosez de jus de citron, puis versez dans des bols en parsemant de ciboule et d'aneth. Servez.

Pour 4 personnes en plat principal
Pour 6 personnes en entrée

700 g d'épinards frais débarrassés des tiges
10 cl d'huile d'olive vierge extra
1 gros oignon haché
1/2 citron pressé
125 g de riz à longs grains
3 cuil. à soupe d'aneth frais haché,
    plus quelques brins pour garnir
sel et poivre noir moulu

Épinards au riz et à l'aneth
spanakorizo

Le riz et les épinards se marient bien.
Ce plat, à la fois frugal et délicieux, est vite
préparé. En Grèce, il est particulièrement
apprécié pendant les périodes de jeûne,
où l'on évite de manger de la viande.
Servez-le en plat principal avec du poisson
frit ou des croquettes de pois chiches.

1 Plongez les épinards dans plusieurs bains d'eau
froide pour les laver. Égouttez-les dans une passoire. Secouez-les bien pour faire partir tout excédent d'eau et déchirez-les.

2 Faites chauffer l'huile d'olive dans une grande
casserole et faites-y fondre l'oignon. Ajoutez les
épinards et remuez quelques minutes pour les
enrober d'huile.

3 Dès que les épinards commencent à se recroqueviller, ajoutez le jus de citron et 15 cl d'eau et
portez à ébullition. Ajoutez le riz et la moitié de
l'aneth, puis couvrez et cuisez à feu doux 10 min. Si
le riz paraît trop sec, ajoutez un peu d'eau chaude.

4 Transférez dans un plat de service et parsemez
de brins d'aneth. Servez chaud ou à température
ambiante.

Pour 4 personnes en plat principal
Pour 6 personnes en entrée

1 chou-fleur de taille moyenne coupé
  en gros bouquets
9 cl d'huile d'olive vierge extra
2 œufs
1 citron pressé
1 cuil. à café de farine de maïs mélangée
  à un peu d'eau
2 cuil. à soupe de persil plat frais haché
sel

Chou-fleur à l'œuf et au citron

kounoupithi avgolemono

Le chou-fleur n'a pas très bonne réputation, et pourtant il est parfaitement délicieux lorsqu'on sait le préparer. En Grèce, on en mange beaucoup, et on le cuisine de mille façons. Dans cette recette, il est associé à une sauce au citron. Servez-le avec un plat riche et appétissant comme des *keftethes* (croquettes de viande frites).

1 Faites chauffer l'huile d'olive dans une grande casserole à fond épais, ajoutez les bouquets de chou-fleur et faites-les dorer à feu moyen.

2 Recouvrez d'eau chaude, salez à votre goût, puis couvrez et laissez cuire 7 à 8 min. Retirez la casserole du feu et laissez reposer pendant que vous préparez la sauce.

3 Battez les œufs dans une jatte, ajoutez le jus de citron et la farine de maïs, continuez de battre tout en ajoutant des cuillerées de liquide de cuisson du chou-fleur. Versez progressivement le mélange à base d'œufs sur le chou-fleur, puis remuez doucement. Mettez la casserole sur feu vif pendant 2 min pour faire réduire la sauce. Transférez dans un plat de service chaud, parsemez de persil haché et servez.

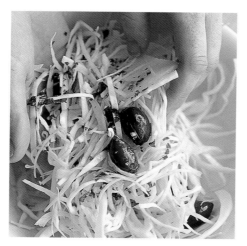

Pour 4 personnes

1 chou blanc
12 olives noires

Pour la vinaigrette
9 cl d'huile d'olive vierge extra
2 cuil. à soupe de jus de citron
1 gousse d'ail écrasée
2 cuil. à soupe de persil plat frais haché
sel

Salade de chou à la vinaigrette citronnée et aux olives noires

lahano salata

En hiver, la iahano salata fait son apparition sur les tables grecques. Elle est préparée avec du chou blanc très compact. Sous les climats plus septentrionaux, ce chou tend à être ligneux, mais en Grèce il donne une salade très douce, inhabituelle, croquante et rafraîchissante.

1 Coupez le chou en quatre, jetez les feuilles extérieures et retirez les côtes ainsi que la base.

2 Posez chaque quart de chou sur le côté et coupez de longues tranches très fines ; jetez le cœur. Pour réussir une salade de choux, le secret est de le couper en lanières aussi fines que possible. Mettez le chou dans une jatte et ajoutez les olives noires.

3 Pour préparer la vinaigrette, mélangez l'huile d'olive, le jus de citron, l'ail, le persil et le sel dans un bol en fouettant. Versez l'assaisonnement sur le chou, mélangez et servez.

Pour 4 personnes

275 g de doliques
5 ciboules émincées
1 grosse poignée de feuilles de roquette,
    déchirées grossièrement
3 à 4 cuil. à soupe d'aneth frais haché
15 cl d'huile d'olive vierge extra
1 citron pressé ou plus
10 à 12 olives noires
sel et poivre noir moulu
petites feuilles de laitue, en
    accompagnement (facultatif)

Salade de doliques avec roquette

mavromatika fasolia salata

Ce plat est très facile à préparer, car les haricots doliques n'ont pas besoin d'être mis à tremper. En ajoutant des ciboules et beaucoup d'aneth, on obtient un mets très sain et rafraîchissant. Servez chaud ou à température ambiante.

1 Rincez et égouttez les doliques, versez-les dans une casserole et recouvrez d'eau froide. Portez à ébullition et égouttez aussitôt. Remettez dans la casserole, couvrez à nouveau d'eau froide et ajou-tez 1 pincée de sel – cela durcira leur peau et les empêchera de se désintégrer à la cuisson.

2 Portez à ébullition, puis baissez un peu le feu et laissez cuire 20 à 30 min, jusqu'à ce que les doliques soient tendre.

3 Égouttez et réservez 10 cl du liquide de cuisson. Transférez les doliques dans un grand saladier, ajoutez le reste des ingrédients, y compris le liquide réservé, et mélangez bien. Servez sans attendre ou laissez refroidir un peu, accompagné de laitue si vous le souhaitez.

Pour 4 personnes

1 kg de calmars frais
12 cl d'huile d'olive vierge extra
1 gros oignon émincé
3 ciboules hachées
1 verre de vin blanc (environ 17 cl)
500 g d'épinards frais
1/2 citron pressé
3 cuil. à soupe d'aneth frais haché
sel et poivre noir moulu
morceaux de pain frais, pour servir

Calmars aux épinards

kalamarakia me horta

C'est un plat original que l'on prépare parfois en Crète. Il est absolument délicieux et mériterait d'être servi plus souvent.

1 Préparez les calmars selon les instructions figurant p. 129. Coupez le corps en deux verticalement, puis détaillez-le en lanières d'1 cm de large. Coupez les tentacules en petits morceaux.

2 Faites chauffer l'huile dans une grande casserole à fond épais et faites fondre les tranches d'oignon et les ciboules. Augmentez le feu et ajoutez les calmars. Ils rendront un peu de jus, mais continuez de cuire en remuant et le liquide s'évaporera. Laissez cuire environ 10 min, jusqu'à ce que les calmars brunissent.

3 Versez le vin, laissez évaporer, puis ajoutez 15 cl d'eau chaude. Salez et poivrez à votre goût. Couvrez la casserole et cuisez 30 min en remuant de temps en temps.

4 Rincez et égouttez les épinards, hachez-les et mettez-les dans la casserole. Quand ils commencent à se recroqueviller, couvrez et laissez cuire 10 min. Au dernier moment, ajoutez le jus de citron et l'aneth, et mélangez bien. Servez avec du pain.

Pour 4 personnes

4 gros rougets-barbets nettoyés
   (poids total d'1 kg environ)
quelques brins d'aneth frais
2 grosses oranges coupées en deux
1/2 citron
6 cl d'huile d'olive vierge extra
2 cuil. à soupe de pignons
sel

Rougets-barbets aux oranges

barbounia sto fourno me portokali

Les oranges sont si abondantes en Grèce
qu'on peut les cueillir sur les arbres en
se promenant dans les rues. L'arôme des
écorces est omniprésent dans les recettes
traditionnelles grecques, et le jus sert
à rehausser le goût de nombreux plats,
comme celui-ci.

1 Mettez un peu d'aneth frais dans la cavité des
poissons et posez ceux-ci dans un plat à four
pouvant éventuellement être utilisé pour le service.

2 Réservez une demi-orange et pressez le reste
en même temps que le citron. Mélangez le jus
avec l'huile d'olive, puis répandez le mélange sur
le poisson. Retournez le rouget barbet dans la
marinade pour bien l'enrober, puis couvrez et laissez mariner dans un endroit frais pendant 1 ou 2 h
en arrosant de marinade de temps en temps.

3 Préchauffez le four à 180 °C (th. 6). Salez le
poisson. Coupez l'orange réservée en fines rondelles, puis chaque rondelle en quatre. Placez
2 ou 3 tranches d'orange sur chaque poisson.
Cuisez au four 20 min, puis arrosez le poisson
avec le jus et parsemez-le de pignons. Remettez
au four pour 10 à 15 min. Servez chaud.

Pour 4 personnes

2 poulpes nettoyés (poids total de
    700 à 800 g)
15 cl d'huile d'olive vierge extra
2 gros oignons émincés
3 gousses d'ail hachées
1 piment rouge ou vert frais épépiné
    et coupé en tranches fines
1 à 2 feuilles de laurier
1 cuil. à café d'origan séché
1 morceau de bâton de cannelle
2 à 3 grains de poivre de la Jamaïque
    (facultatif)
1 verre de vin rouge (environ 17 cl)
2 cuil. à soupe de purée de tomates
225 g de pennes ou de petits macaronis
poivre noir moulu
3 cuil. à soupe de persil plat frais haché
    menu, pour garnir (facultatif)

Poulpe aux pâtes

htapothi me makaronaki

Ce délicieux mélange de poulpe et de pâtes
longuement cuits au four dans une sauce tomate
épicée est un grand classique grec, mais lorsque
nous le servons à nos amis anglais il fait toujours
sensation. Nous aimons le préparer l'hiver,
car il nous rappelle nos visites au restaurant
L'Oliveraie, sur la plage de Lefto Yialo, où le
poulpe est parfois remplacé par de la seiche.

1 Rincez bien les poulpes en vous assurant qu'il ne reste
pas de sable dans les ventouses. Coupez-les en gros
dés à l'aide d'un couteau pointu, mettez-les dans une
casserole à fond épais et cuisez à feu doux ; les poulpes
vont rendre leur jus et devenir écarlates. Retournez-les
avec une spatule en bois jusqu'à ce que tout le liquide
soit évaporé.

2 Ajoutez l'huile d'olive et faites revenir les morceaux de
poulpe 4 à 5 min. Mettez les oignons dans la casserole et
faites fondre 4 à 5 min en remuant constamment.

3 Incorporez l'ail, les piments, le laurier, l'origan, la cannelle et le poivre de la Jamaïque. Dès que l'ail exhale son
parfum, ajoutez le vin et laissez réduire 2 min.

4 Versez la purée de tomates diluée dans 30 cl d'eau
chaude, poivrez légèrement, couvrez et laissez cuire à feu
doux 1 h 30. Remuez de temps en temps en ajoutant un
peu d'eau chaude si nécessaire. Jusqu'ici, ce plat peut
être préparé à l'avance.

5 Préchauffez le four à 160 °C (th. 5). Portez le mélange à
base de poulpe à ébullition, ajoutez 30 cl d'eau bouillante
et les pâtes. Versez le mélange dans un grand plat à rôtir
et égalisez la surface. Mettez au four et cuisez 30 à 35 min
en remuant de temps en temps et en ajoutant un peu
d'eau chaude si nécessaire. Parsemez de persil et servez.

COMMENT FAIRE CUIRE LE POULPE

N'ajoutez pas de sel, car cela durcirait le poulpe
et le rendrait indigeste. Le mélange à base de poulpe
peut aussi être cuit en 20 min dans une Cocotte-Minute.

Pour 4 personnes en plat principal
Pour 6 personnes en entrée

1,6 kg de moules bien nettoyées
2 oignons émincés
2 verres de vin blanc (environ 35 cl)
15 cl d'huile d'olive vierge extra
5 à 6 ciboules hachées
2 gousses d'ail hachées
1 grosse pincée d'origan séché
200 g de riz à grains longs
3 cuil. à soupe de persil plat frais haché
3 à 4 cuil. à soupe d'aneth frais haché
sel et poivre noir moulu

Moules au riz pilaf

mithia pilafi

Cette recette est un grand classique, et l'un des plats préférés des Grecs. Elle associe de nombreuses saveurs, et les herbes en relèvent encore le goût. Bien qu'il soit préparé avec des ingrédients simples (en Grèce, les moules sont très bon marché par rapport au poisson), ce plat donne toujours des résultats spectaculaires, et l'on ne regrette jamais le temps passé à préparer les coquillages.

1 Après avoir nettoyé les moules, jetez celles qui ne sont pas bien fermées ou qui ne se referment pas lorsque vous les tapotez. Mettez les autres dans une grande casserole à fond épais. Ajoutez 1/3 de l'oignon, puis versez la moitié du vin et 15 cl d'eau chaude. Couvrez et cuisez à feu vif pendant 5 min en secouant la casserole de temps en temps jusqu'à ce que les moules commencent à s'ouvrir.

2 Posez une passoire sur une jatte et, à l'aide d'une écumoire, transférez-y les moules ouvertes de façon que leur jus s'écoule dans la jatte. Jetez les moules qui restent fermées. Décortiquez les autres et gardez-en une douzaine entières pour décorer.

3 Garnissez une passoire de mousseline ou d'essuie-tout et posez-la au-dessus d'une jatte. Filtrez le liquide resté dans la casserole et faites de même avec le jus qui s'est écoulé des moules cuites et que vous avez récupéré.

4 Faites chauffer l'huile d'olive dans une casserole à fond épais ou dans une poêle, ajoutez le reste de l'oignon et les ciboules et faites dorer à feu moyen. Ajoutez l'ail et l'origan.

5 Dès que l'ail exhale son parfum, incorporez le riz et remuez-le pour qu'il soit bien huilé. Versez le reste du vin en remuant jusqu'à ce qu'il soit complètement absorbé, puis 30 cl d'eau chaude, le jus des moules réservé et le persil haché. Salez et poivrez, puis couvrez et cuisez à feu doux pendant 5 min en remuant de temps en temps.

6 Ajoutez les moules, y compris celles qui ne sont pas décortiquées. Parsemez avec la moitié de l'aneth et mélangez bien. Au besoin, ajoutez un peu d'eau chaude. Couvrez et cuisez à feu doux 5 à 6 min, jusqu'à ce que le riz soit cuit mais encore un peu ferme.

7 Parsemez avec le reste de l'aneth et servez accompagné d'une salade verte ou d'une salade de choux aux olives vertes.

Pour 4 personnes

1,6 kg de poulet fermier ou bio
2 gousses d'ail épluchées mais entières
1 cuil. à soupe de thym ou d'origan frais
     haché, ou 1 cuil. à café de thym ou
     d'origan séché plus 2 à 3 branches
     de thym ou d'origan frais
800 g de pommes de terre
1 citron pressé
6 cl d'huile d'olive vierge extra
sel et poivre noir moulu
salade verte, en accompagnement

Poulet rôti aux pommes de terre et au citron

kotopoulo fournou me patates

Ce plat fait un superbe repas de famille. Comme pour les autres rôtis grecs, les ingrédients sont cuits au four ensemble, de sorte que les pommes de terre absorbent toutes les saveurs, en particulier celle du citron.

1 Préchauffez le four à 200 °C (th. 7). Mettez le poulet, avec la poitrine sur le fond, dans un grand plat à rôtir, puis glissez les gousses d'ail et les brins de thym ou d'origan à l'intérieur de la volaille.

2 Épluchez les pommes de terre et coupez-les en quatre dans le sens de la longueur. Si elles sont très grosses, coupez-les à nouveau dans le sens de la longueur. Disposez-les autour du poulet, puis versez le jus de citron sur le tout. Salez et poivrez, répandez l'huile d'olive par-dessus et ajoutez les 3/4 du thym ou de l'origan frais haché ou bien séché. Versez 30 cl d'eau chaude dans le plat à rôtir.

3 Faites rôtir le poulet et les pommes de terre 30 min, puis sortez le plat du four et retournez la volaille avec précaution. Salez et poivrez à nouveau, parsemez avec le reste du thym ou de l'origan et ajoutez de l'eau chaude si nécessaire. Ramenez la température du four à 190 °C (th. 6).

4 Remettez le poulet et les pommes de terre au four et faites-les rôtir 1 h ou un peu plus, jusqu'à ce qu'ils soient bien dorés. Servez avec une salade verte croquante.

Pour 4 personnes

1 kg de bœuf à braiser coupé en gros dés
8 cl d'huile d'olive
3 gousses d'ail hachées
1 cuil. à café de cumin moulu
5 cm de bâton de cannelle
1 verre de vin rouge (environ 17 cl)
3 cl de vinaigre de vin rouge
1 petit brin de romarin frais
2 feuilles de laurier émiettées
2 cuil. à café de purée de tomates
700 g de petits oignons épluchés mais
    entiers
1 cuil. à soupe de cassonade
sel et poivre noir moulu

Fricassée de bœuf aux petits oignons et au vin rouge

moshari stifatho

Ce plat est idéal pour un déjeuner dominical en famille, mais c'est aussi un excellent choix pour un dîner entre amis. Le moshari stifatho est très original et appétissant, avec ses petits oignons doux qui fondent dans la bouche. En Grèce, le stifatho est parfois préparé avec du lapin ou du poulpe. C'est le genre de plat que l'on peut laisser mijoter au four pendant des heures. Servez avec du riz, des pâtes, des pommes de terre en purée ou des pommes de terre sautées.

1 Faites chauffer l'huile d'olive dans une grande casserole à fond épais et faites dorer les dés de viande.

2 Incorporez l'ail et le cumin. Ajoutez le bâton de cannelle et faites cuire pendant quelques secondes, puis versez le vin et le vinaigre par-dessus, progressivement. Laissez le liquide bouillonner et s'évaporer 3 à 4 min.

3 Incorporez le romarin et les feuilles de laurier, ainsi que la purée de tomates diluée dans 1 litre d'eau chaude. Remuez bien, salez et poivrez, puis couvrez et laissez mijoter à feu doux 1 h 30.

4 Éparpillez les petits oignons sur le tout et remuez la casserole pour les répartir de façon égale. Saupoudrez la cassonade sur les oignons, couvrez et cuisez à feu doux 30 min. Si nécessaire, ajoutez un peu d'eau chaude. Ne remuez pas après avoir mis les oignons pour éviter de les désintégrer, mais secouez doucement la casserole pour les enrober de sauce. Retirez la cannelle et le romarin. Servez.

CUISSON AU FOUR

Le stifatho peut être cuit au four. Utilisez une cocotte résistant à la chaleur. Après avoir fait brunir la viande et ajouté le reste des ingrédients, excepté les oignons et la cassonade, transférez la cocotte couverte dans un four préchauffé à 160 °C (th. 5) et laissez cuire 2 h. Ajoutez les oignons et le sucre comme nous l'avons indiqué ci-dessus et remettez la cocotte au four pendant 1 h.

Pour 4 personnes

700 g de porc à braiser coupé en gros dés
350 g de pois chiches secs mis à tremper
      pendant toute une nuit
9 cl d'huile d'olive vierge extra
1 gros oignon émincé
2 gousses d'ail hachées
400 g de tomates concassées en boîte
écorce d'1 orange râpée
1 petit piment rouge séché
sel et poivre noir moulu

Porc aux pois chiches et à l'orange

revithia me hirino ke portokali

Cette spécialité d'hiver est un plat typique des îles de la mer Égée, en particulier en Crète. Dans les villages du Mesara, on le sert traditionnellement à la famille et aux amis la veille d'un mariage. Cette variante vient de l'île de Chios. Accompagnez de pain frais et d'un bol d'olives noires.

1 Égouttez les pois chiches, rincez-les à l'eau froide et égouttez-les à nouveau. Mettez-les dans une grande casserole à fond épais. Recouvrez d'eau froide, couvrez et portez à ébullition.

2 Écumez la surface, remettez le couvercle et cuisez à feu doux 1 h à 1 h 30, suivant l'âge des pois chiches et leur variété. Sinon, faites-les cuire à la Cocotte-Minute pendant 20 min. Une fois qu'ils sont tendres, égouttez-les et réservez-les. Gardez le liquide de cuisson.

3 Faites chauffer l'huile d'olive dans une casserole et faites brunir la viande, puis sortez-la avec une écumoire et posez-la sur une assiette. Mettez l'oignon dans l'huile chaude et faites-le dorer. Ajoutez l'ail puis, dès qu'il exhale son parfum, les tomates et l'écorce d'orange.

4 Effritez le piment par-dessus. Transférez les pois chiches et la viande dans la casserole et couvrez avec le liquide de cuisson réservé. Poivrez, mais ne salez pas à ce stade.

5 Mélangez bien, couvrez et laissez mijoter 1 h. Remuez de temps en temps en ajoutant un peu de liquide de cuisson si nécessaire. Le résultat doit être une fricassée bien humide, ni trop liquide ni trop sèche. Salez juste avant de servir.

Pour 4 personnes

1 à 2 gros choux verts (poids total
 d'1,6 à 2 kg)
125 g de riz à grains longs
500 g de viande de porc hachée ou mélange
 de viande de porc et de bœuf
1 gros oignon râpé
1 œuf légèrement battu
2 cuil. à soupe de persil à feuilles plates
 frais haché
3 à 4 cuil. à soupe d'aneth frais haché
9 cl d'huile d'olive vierge extra
25 g de beurre
1 cuil. à soupe de farine de maïs
2 œufs
1 citron et 1/2 pressé
sel et poivre noir moulu

Feuilles de chou farcies
lahanodolmathes

C'est le plus appétissant des plats d'hiver et l'un de mes préférés. Cependant, sa préparation est longue. Faites participer des amis, et le temps vous paraîtra plus court !

1 Faites tremper le riz dans de l'eau froide 10 min, puis égouttez-le, rincez-le et égouttez-le à nouveau. Évidez les choux et retirez les feuilles extérieures. Rincez-les et réservez-les. Détachez les feuilles intérieures en retirant les côtes. Dès que vous atteignez le cœur, cessez d'éplucher et réservez.

2 Rincez les feuilles et les cœurs à l'eau froide, puis égouttez-les. Portez une grande casserole d'eau à ébullition et blanchissez les feuilles 1 à 2 min pour les assouplir. Sortez-les de l'eau avec une écumoire et mettez-les dans une passoire. Mettez les cœurs dans la casserole d'eau et laissez bouillir un peu plus longtemps, puis égouttez.

3 Pour la farce, mélangez la viande hachée, le riz, l'oignon, l'œuf battu et les herbes fraîches dans une jatte. Incorporez la moitié de l'huile d'olive et une bonne quantité d'assaisonnement. Coupez en deux les feuilles de chou les plus grosses et retirez les parties dures. Posez 1 cuillerée à soupe de farce à l'extrémité d'une feuille, roulez-la en forme de gros cigare, puis refermez les côtés pour obtenir un paquet bien net.

4 Détachez le plus de feuilles possible du cœur de chou blanchi et farcissez-les ainsi séparément. Laissez le cœur intact, mais ouvrez les feuilles qui le composent et mettez un peu de farce dedans.

5 Garnissez une grande casserole à fond épais avec les feuilles extérieures crues, réservées. Disposez les dolmathes par-dessus en les serrant bien les uns contre les autres. Assaisonnez chaque couche au fur et à mesure, puis répandez le reste de l'huile d'olive et éparpillez quelques noix de beurre.

6 Posez une petite assiette retournée sur la dernière couche de dolmathes. Recouvrez d'eau chaude. Couvrez et laissez cuire à feu doux 50 min. Dès que les dolmathes sont cuits, inclinez la casserole en appuyant sur l'assiette retournée pour les maintenir en place et videz la plus grande partie du liquide dans une jatte. Laissez refroidir.

7 Mélangez la farine de maïs avec un peu d'eau. Battez les œufs dans une autre jatte, ajoutez le jus de citron et le mélange de farine de maïs. Sans cesser de battre, incorporez progressivement des cuillerées de liquide de cuisson des dolmathes. Versez la sauce sur les dolmathes et remuez la casserole pour répartir la sauce. Replacez sur feu doux et laissez cuire 3 min afin que la sauce épaississe, en tournant la casserole de temps en temps.

Pour 20 pièces

1/2 cuil. à café de bicarbonate de soude
1 grosse orange pressée, plus l'écorce
  râpée
15 cl d'huile d'olive vierge extra
75 g de sucre en poudre très fin
6 cl de cognac
1 cuil. à café et 1/2 de cannelle moulue
400 g de farine avec 1 pincée de sel
125 g de noix décortiquées, hachées

Pour le sirop
225 g de miel liquide
125 g de sucre en poudre très fin

Petits gâteaux de Noël au miel
melomakarona

À mes yeux, Noël perdrait de son éclat sans ces merveilleux melomakarona au miel.

1 Mélangez le bicarbonate de soude et le jus d'orange. Mixez l'huile et le sucre avec un mixeur. Incorporez le cognac et 1/2 cuillerée à café de cannelle moulue, puis le mélange de jus d'orange et de bicarbonate de soude. Mélangez la farine et le sel avec les mains, puis pétrissez. Ajoutez l'écorce d'orange râpée et pétrissez 10 min, jusqu'à ce que la pâte soit souple et lisse.

2 Préchauffez le four à 180 °C (th. 6). Farinez-vous les mains et prélevez de petits morceaux de pâte. Façonnez-les en formes ovales de 6 cm de long que vous disposez sur une plaque à pâtisserie. Trempez une fourchette dans l'eau et utilisez-la pour aplatir chaque petit gâteau. Faites cuire au four 25 min. Laissez refroidir, puis transférez sur une grille pour laisser durcir.

3 Pendant ce temps, préparez le sirop. Mettez le miel, le sucre et 15 cl d'eau dans une petite casserole. Portez doucement à ébullition, écumez, puis baissez le feu et laissez mijoter 5 min. Immergez les melomakarona refroidis dans le sirop chaud, à raison de 6 à la fois, et laissez-les 1 à 2 min.

4 Sortez-les du sirop avec une écumoire et disposez sur un plat en une couche. Parsemez de noix et saupoudrez du reste de cannelle.

Pour 20 à 22 sablés

225 g de beurre doux
150 g de sucre en poudre très fin
2 jaunes d'œufs
1 cuil. à café d'extrait de vanille
1/2 cuil. à café de bicarbonate de soude
5 cl de cognac
500 g de farine avec une pince de sel
150 g d'amandes émondées, grillées
   et hachées
350 g de sucre glace

Sablés au beurre et aux amandes

kourabiethes

Les jolis kourabiethes blancs sont traditionnellement confectionnés pour Noël et Pâques, mais ils figurent aussi au menu de nombreuses fêtes grecques. En général, ils sont en forme de croissants de lune, mais je les propose ici en forme d'étoiles.

1 Écrasez le beurre dans une jatte, incorporez le sucre en poudre en battant, puis les jaunes d'œufs un par un, enfin la vanille. Mélangez le bicarbonate de soude et le cognac et versez le mélange dans la jatte. Ajoutez la farine et le sel et remuez pour obtenir une pâte ferme. Pétrissez légèrement, ajoutez les amandes et pétrissez à nouveau.

2 Préchauffez le four à 180 °C (th. 6). Couvrez la moitié de la pâte avec du film plastique et réservez. Étendez le reste de la pâte sur 2,5 cm d'épaisseur. Découpez des formes d'étoiles ou de croissants de lune à l'aide d'un emporte-pièce. Répétez l'opération jusqu'à épuisement de la pâte. Disposez les formes sur les plaques à gâteaux et cuisez au four 20 à 25 min. Ne laissez pas trop brunir.

3 Sortez les kourabiethes du four et saupoudrez-les aussitôt d'1/4 du sucre glace. Laissez refroidir quelques minutes.

4 Placez les sablés sur une assiette contenant le reste de sucre glace, dont vous les enrobez afin qu'ils soient d'un blanc étincelant.

Remerciements de l'auteur

Écrire un livre – et en particulier un livre sur la cuisine d'un pays – est une sorte de voyage. Beaucoup de gens m'ont accompagnée pendant ce voyage, et j'ai une dette envers eux, mais d'abord et avant tout envers les cuisiniers et cuisinières. Vlassis, du restaurant du même nom à Athènes, qui m'a inspirée non seulement par sa merveilleuse cuisine, mais aussi par son approche de la nourriture et par sa façon de la servir ; Magna Anagnostou, du restaurant L'Oliveraie à Alonnisos, qui est l'une des cuisinières les plus passionnées que je connaisse ; Anna Anagnostou, du restaurant Meltemi, et sa mère Maria Karakatsani, qui fait un excellent imam bayildi ; et mon amie Magda Basini, qui prépare un succulent yiouvetsi de chèvre et de délicieuses tartes au fromage.

Je tiens aussi à remercier mes sœurs, Maria Fokianidou et Sally Printziou, qui vivent à Athènes et qui m'ont préparé de fabuleux repas ; je tiens aussi à remercier mes amies Manuela Pandazithou-Selleli et Katy Spyraki, qui sont toujours prêtes à tenter de nouvelles expériences ; Maria Pandazithou, en Crète, pour son hospitalité ; Anna et Elia Psarrea, à Volos, à la fois pour leur hospitalité et leurs recettes novatrices de fruits de mer.

Je suis également reconnaissante envers mon éditeur Linda Fraser pour cet ouvrage superbement conçu et pour son approche sensible du projet, Martin Brigdale pour ses photographies magnifiques, mon agent Caroline Davidson, pour tout le travail accompli, enfin mon mari, Graeme, et mes filles Alexandra et Sophie, qui dévorent avec un tel enthousiasme !

Remerciements de l'éditeur anglais

Le voyage, bien sûr, s'est poursuivi pendant un certain temps après que Rena eut fini de goûter et d'écrire. Nous aimerions remercier le photographe Martin Brigdale, et la styliste Helen Trent, qui ont si talentueusement illustré les recettes, Lucy McKelvie et Linda Tubby pour leur brillant stylisme alimentaire, et Jenni Fleetwood pour son excellente relecture.

Crédits photographiques

Toutes les photographies sont de Martin Brigdale ; cependant, les clichés de site de la page 8 (en haut à droite) et 9 ont été fournis par l'Anthony Blake Photo Library.

Édition originale 2001 en Grande-Bretagne par Aquamarine sous le titre *The Greek Cook*

© 2001, Anness Publishing Limited
© 2003, Manise, une marque du Groupe La Martinière pour la version française

Connectez-vous : www.lamartiniere.fr

Responsable éditoriale : Joanna Lorenz
Éditrice : Linda Fraser
Assistante d'édition : Jenni Fleetwood
Responsable de fabrication : Claire Rae
Photographe : Martin Brigdale
Maquettiste : Anita Schnable
Styliste : Helen Trent
Conseillers culinaires : Lucy McKelvie
    et Linda Tubby
Index : Hilary Bird
Composition : Diane Pullen

Traduction de l'anglais : Ariel Marinie

ISBN 2-84198-207-6
Dépôt légal : juillet 2003
Imprimé à Singapour

Notes

1 cuil. à café = 0,5 cl ;
1 cuil. à soupe = 1,5 cl.
Les œufs utilisés sont toujours de grosseur moyenne.